D0892435

NOUVELLES DU NORD

D'ici et d'ailleurs
Case postale 314
Val-d'Or (Québec)
J9P 4P4
Téléphone : (819) 824-4248

Conception de la couverture : Pierrot Letendre
Illustration : Colette Asselin
Photographies : Gilles Corbeil

Photocomposition : ASSISTÉCRITURE

Collection
L'écorce des jours

Distributeur :
QUÉBEC LIVRES
4435, boulevard des Grandes Prairies
Saint-Léonard (Québec)
H1R 3N4
Téléphone : (514) 327-6900

Dépôt légal — Troisième trimestre 1990
Bibliothèque nationale du Québec
Bibliothèque nationale du Canada

ISBN 2-921055-01-5

Collectif de nouvelles
parrainé par le
Regroupement des écrivains
de l'Abitibi-Témiscamigue

NOUVELLES DU NORD

D'ici et d'ailleurs

PRÉFACE

L'Abitibi-Témiscamingue n'a pas de tradition littéraire qui lui soit propre. Cette région est d'apparition trop récente, et elle n'a commencé à pleinement assumer sa parole que depuis une vingtaine d'années. Le premier grand développement de sa littérature date de peu.

Terre d'accueil, c'est aussi un lieu de transit, qui a su fortement nourrir l'imaginaire de ceux qui y ont séjourné. Marie Le Franc, Félix-Antoine Savard et plus récemment Bernard Clavel, ont tous témoigné, à leur façon, de l'effervescence qui a agité son peuplement, et de la singularité de cette terre qui constitue en fait l'un des derniers fronts pionniers en Amérique du Nord.

Ce pittoresque pionnier dissimule cependant mal un envers du décor plus inquiétant. Car on y vit dans l'éphémère, là où se départagent les eaux, à la hauteur des terres, sous la menace constante de tout voir s'effriter. Mines et forêts s'épuisent, la belle jeunesse s'expatrie, on s'y donne la mort plus que partout ailleurs, nous sommes en périphérie, de plus en plus en périphérie, semble-t-il. Dans la désolation et aussi l'amertume d'un pays baigné de lacs qui ne sont plus que des dépôts acides. Voilà pour l'environnement physique. Or, quand on y prend la parole, c'est pour dire l'essentiel, aller au plus pressant, dans l'espèce de fièvre qui nous gagne dans les situations d'urgence.

Quatorze nouvelles, quatorze instantanés viennent ici, dans une belle variété de thèmes, rendre compte d'aventures et d'événements tragiques, avec souvent un réalisme qui se combine volontiers avec l'extraordinaire. Tourments de la vie ou rêves, visions de cauchemar ou projections émerveillées dans le futur, ont ici raccourci leurs échos avec tout ce que cela comporte de fluctuant et de fortunes diverses.

Nous avons donc affaire à des conteurs, libres et spontanés. C'est là le fait d'écrivains naturels, très près de la tradition orale, qui savent avec un art précis et dénudé faire bondir tout vifs et traduire des faits sensibles, en un langage d'apparences, en des images expressives. Voilà pourquoi on y retrouve si souvent cette verve ingénieuse, cette fantaisie sans apprêt, qui faisaient le charme des veillées d'autrefois, où chacun y allait des récits de son cru et improvisait à toute volée.

Pour quiconque suit de près la production littéraire en Abitibi-Témiscamingue, ce recueil de nouvelles réservera des surprises de taille. Cela dit, non pour de simples clauses de style. Car, outre une étonnante vitalité d'expression et une grande diversité d'inspiration, ce recueil rend bien compte, chez la plupart des auteurs, d'un mûrissement des techniques et moyens de communication de la représentation formelle, et d'une tenacité qui ne semble pas vouloir quitter les écrivains du pays abitibien.

Denys Chabot

LE SI FACILE MÉTIER D'ÉCRIVAIN

Jean Simoneau

Pierre Dupuis n'avait plus que 3.98$ pour passer le mois. Heureusement, le loyer était payé (à Val-d'Or, ils sont très élevés) ainsi que l'électricité et le téléphone. Il y avait quelques oeufs et trois « chiens chauds » au frigidaire.

Il devait inventer des moyens de survivance. Travailler? Il avait trois brevets d'enseignement, mais la société avait une pénurie d'enfant et un surplus de professeurs. Planter un jardin? La saison était trop avancée. Il faut bien un mois pour tirer une récolte et, en attendant les radis, il risquait fort de crever de faim. Acheter un billet de loto? Cela pouvait être une dépense plutôt qu'une rentrée d'argent.

La survie s'avérait impossible quand Pierre Dupuis apprit d'un ami l'existence d'un concours de nouvelles à Radio-Québec (autrefois Radio-Canada). Cela rapportait peu, mais le jury sélectionnait bientôt les vainqueurs. « Voilà ma chance », pensa-t-il.

Excité par une occasion pareille, Pierre courut chez lui, saisit du papier et demeura inerte devant sa dactylo. Il avait beau se creuser les méninges, rien ne venait. Son imagination se serait-elle tarie avec les efforts faits pour survivre le mois précédent? A quoi servait d'être maître en littérature française si on ne peut pas écrire une nouvelle?

Il ferma les yeux, scruta, étira, força chaque rayon de sa mémoire. Rien. Pas un seul souvenir ne lui semblait digne de devenir un sujet de nouvelle. Il s'épuisait à chercher cette petite action insignifiante qui prend l'allure d'une véritable obsession et finit par hanter, posséder entièrement son personnage.

L'auteur après ces trois heures d'un terrible effort

se résigna. Il fallait chercher autrement, ailleurs que dans sa mémoire défaillante.

La nouvelle, étant basée généralement sur un fait divers, il résolut de chercher dans les journaux une source qui lui apporterait enfin un sujet sur lequel aiguiser sa plume. Il fit le tour de sa chambre. Pas un journal. S'en acheter couperait encore son budget sans garantir que la lumière jaillirait. Il décida de sortir et de fouiller les poubelles de la rue. Sa course fut hautement récompensée. Il rapporta deux ECHO, deux exemplaires différents de LA PRESSE, quinze du JOURNAL DE MONTRÉAL et un DEVOIR.

De retour chez lui, il s'imposa dix heures de lecture. Il était bien savant. Il connaissait tous les arguments pour ou contre le libre échange avec les États-Unis, les stupidités du LIVRE BEIGE du téteux à Ryan, et les rêves économiques de la compagnie Provigo. Il pouvait même, en plus de connaître les opinions des éditorialistes, disséquer leur style. Cela ne lui apporta aucune idée quant à l'événement qui lui garantirait la palme du concours. Qui peut s'intéresser à l'actualité réchauffée? La vraie preuve : qui n'a pas éteint son téléviseur pour ne plus entendre parler de Chantale Daigle?

L'impatience l'emportait. Que vaut une éducation qui nous montre tant de structures, de styles, d'idées qu'elle nous constipe l'imagination? Mais peut-être était-il aussi responsable de son vide littéraire que l'école?

Il se souvint avec honte de ses premières bouffées d'Acapulco Gold qui lui avaient indiqué les chemins de l'hilarité. Il avait ce jour-là écrit un poème tellement génial que tous les étudiants se l'arrachaient pour rire à leur tour. Le lendemain, en relisant le chef-d'oeuvre de sa vie, il n'avait trouvé que des grossièretés, des indécences à faire rougir les plus osés. Cette expérience ne l'avait pas empêché d'essayer le "colombien" pour avoir une culture internationale! Cette fois, Pierre se rappela comment il avait réussi, juste en se laissant aller, à créer une peinture qu'aurait jalousée Michel-Ange, mais qui, le lendemain, se révéla un Dali, le génie en moins.

Valait mieux laisser mourir le passé. Il risquait d'être accusateur. De toute façon, il y a toujours quelqu'un à blâmer si l'on ne réussit pas. Il trouverait bien sa victime en temps et lieu, quoique déjà le système d'éducation semblait une victime de luxe puisque le public mordait facilement à toutes les critiques qui lui étaient adressées.

Il reprit sa quête en fixant cette fois son attention sur les crimes. Toutes les passions qui tiraillaient l'âme y passèrent. Ces tueries l'énervaient. Plutôt que de l'exalter, tout ce sang le submergeait de peur. Il eut beaucoup de peine à échapper aux monstres qui le hantèrent toute la nuit. Il sursauta dans son lit, "biboya"*, nagea dans ses sueurs. Jamais, il n'eut tant peur. Ces lectures l'avaient tellement impressionné que le matin, il hésita à se verser un café. Qui l'assurait qu'un ouvrier de l'autre bout du monde ne l'avait pas empoisonné pour se venger des riches qui perdent leur matinée à boire, en digérant les dernières actualités?

---

*biboyer : parler en rêvant.

Il opta pour une pomme qu'il éplucha avec attention, qu'il coupa en petits dés pour s'assurer qu'aucune lame de rasoir n'y avait été plaçée par pur sadisme.

Même les bruits du vent à sa fenêtre entrouverte devinrent suspects. Un bandit cherche-t-il à forcer l'entrée? A s'introduire par la fenêtre? Un fantôme, peut-être!

Il songea à déménager pour échapper à ses poursuivants. Il rêva de s'installer à la campagne où la population est moins dense, mais il rejeta l'idée, craignant que cette solitude ne fit de lui une cible de choix. Les criminels ne préfèrent-ils pas les endroits isolés?

Ah! si au moins, comme au temps de Stendhal,

il y avait eu des meurtres intéressants, passionnels, dans les églises. Aujourd'hui, les journaux ne racontent que des crimes assez ordinaires : le père qui viole sa fille; le fils qui tue le père pour l'empêcher d'endurer un cancer; le petit gars qui reçoit une médaille pour avoir tué le pédéraste qui lui a acheté une maison de campagne; la petite fille brûlée à la chandelle par sa gardienne. Rien d'intéressant. Que des horreurs à vous flanquer la trouille et la nausée. Il n'y a même plus de Mandrin ou de FLQ pour vous faire rêver de justice! On vole pour manger. Quelle décadence!

Cette phobie de la violence, cette menace incessante ne tarda pas bientôt à être remplacée par une autre : la faim.

Notre écorcheur de phrases souffrit d'un vilain mal de tête. La famine gonflait son ventre. Il voyait rouge. Devait-il abandonner? Il résista. Courageusement. Dès lors, Pierre craignit immédiatement de penser et surtout de bouger. « Dans des moments pareils, se dit-il, il faut économiser ses énergies. »

Mais, à la peur de ne pas survivre à ses lectures s'ajouta celle de l'heure de la tombée. Pour participer au concours, il fallait remettre le texte dans les soixante-douze heures.

La tête lui fendait.

Immobile devant l'horloge, osant à peine respirer, Pierre lut un titre qui le suffoqua : "Ruiné d'avoir gagné le gros lot". Il avala le texte avec avidité : un homme qui avait les numéros chanceux de la loto défonça toutes ses cartes de crédit en achats de tous genres. Juste avant de recevoir son chèque, il apprit que ses numéros étaient bien ceux qui avaient été choisis, mais lors du tirage de la semaine précédente et, par conséquent, invalides pour le tirage de cette semaine.

Quelle désolation pour ce pauvre mécanicien! Quelle joie inespérée pour notre écrivain! Il tenait enfin un sujet en or. Il pouvait y avoir une courte introduction et l'immanquable fin en queue de poisson, indispensable caractéristique de la nouvelle...

Notre Maupassant moderne, assailli à nouveau par sa migraine, décida qu'il fallait manger pour pouvoir pondre enfin son oeuvre. Il se dépêcha d'avaler une beurrée de beurre d'arachides. Les douleurs persistèrent, il en enfila une deuxième avec les trois derniers « chiens-chauds » à la suite. Il n'avait plus de pain, mais les idées explosaient dans sa tête. Il fallait écrire.

Comme Ulysse, il parcourut tous les rayons de magasin qu'aurait pu emprunter le héros souffre-douleur de ses écrits afin de bien sentir tout ce qu'il avait pu vivre. Quand on a grand appétit, il est facile de trouver comment dépenser son argent. Les idées se bousculaient, se piétinaient. Dupuis était fatigué, épuisé de tant de richesses. En quelques mots, il avait présenté l'action, en deux autres, il avait vidé toutes les cartes de crédit. Essoufflé, Pierre dut s'arrêter pour ne pas dépasser les quinze pages démandées.

Après avoir fait les deux cents pas, avoir usé tout son prélart, notre génie relut son texte. L'erreur lui sauta aux yeux!

O grand désespoir! Il s'était tellement identifié à son héros qu'il avait utilisé le présent de l'indicatif tout au long de son manuscrit. Quelle tarte!

Il revoyait son professeur de composition littéraire, perdu dans ses explications sans fin, leur annoncer que dans le cas d'une nouvelle, il faut toujours employer le passé simple pour marquer l'action et l'imparfait de l'indicatif, s'il s'agit d'une description. Sauf, évidemment, dans les dialogues où le présent de l'indicatif règne en maître...

Quelle bêtise! Quelle langue! Qui avait décidé de cette règle stupide? Ah! le maudit français... Il ne suffit pas de se crever à trouver tous les accords, encore faut-il porter attention à la concordance des temps et se rappeler que chaque genre littéraire a ses caprices "verbaux".

Impatienté, Dupuis reprit le texte. Les verbes

abandonnèrent le présent, se couvrirent de terminaisons qui sonnent parfois joliment drôles. Travail qui lui demanda une bonne heure.

Exténué d'ajouter des "âmes", des "îtes" et des "irent", Pierre dut se coucher quelques minutes pour ne pas s'écrouler.

Dès son réveil, il revit son texte. Tout était parfait, sauf... qu'une question le tiraillait. La répétition des gestes constitue-t-elle une obsession? Les meubles, le repas peuvent-ils occuper tout l'univers d'un personnage? Ionesco, y avait bien pensé, mais c'était pour le théâtre...

Le doute s'insinua en lui. Et vlan! Il s'éteignit chez Kresge entre un frigidaire et un habit vert. Le nouvel élément ne différait pas assez de l'ancien pour créer une situation nouvelle. Il venait donc de faire un bien mauvais investissement. Son introduction dans un français classique et une forme parfaite demeurait sans suite. Cette fausse-couche venait de lui coûter six heures de labeur. Dupuis avait tellement hésité dans le choix de ses achats, pour demeurer vraisemblable, qu'il avait relu tout un cours de comptabilité. Quelle misère! Il s'était même permis d'écouter "The Price is right" pour confronter ses prévisions à celles des concurrents. Ses estimations étaient toujours justes, mais il lui fallait tout recommencer. Faute de rebondissement! Pris de panique, Pierre décida d'avoir recours au découpage. Titres, textes, s'allongèrent sur le plancher. Il était impossible de marcher dans le logement sans écraser un événement.

Si le ticket de Burroughs explosa pour la gloire de la littérature américaine, à Val-d'Or, ce procédé ne marchait pas. Il lut : « Les mots glissaient/ sur le commerce de l'automobile/ brûlant dans une ambassade russe/ au fond d'un bois, près du Belvédère/ tatouage planté au milieu de la poitrine/ qu'avait semé les adeptes de Khomeiny... »

Et encore : « Une femme/ couchée sur l'indice des prix à la consommation/ roule à 175 kilomètres heure/ chute dans le box des accusés/ coupable de s'être amourachée/ de son chien pékinois... »

C'était inintelligible. « Premier astronaute/ descendu au fond des mers/ apitoyé sur le sort d'une Cadillac ancienne/ électrise/ la foule dans un jeu de passe interdit/ par la religion du pays... »

Le découragement envahit sa cervelle enflammée par les mots. Pierre compta son argent qui sonnait sur la table avec les secondes de sa montre. Il s'imagina déjà agonisant, victime d'une société inapte à nourrir ses génies littéraires. C'était le désert culturel. Tataouette!

Dupuis s'arrêta d'un coup à ce mot qui le fascinait. Ces sons glissaient, martelant son crâne. Il regarda le mot, pesa sa valeur phonétique, interrogea sa qualité évocatrice, le psychanalysa. Cette musicalité, pensa-t-il, saurait certainement allumer sa bougie créatrice. Il essaya pendant plus d'une heure mille associations de mots. Tataouette refaisait surface à tout instant, éteignait chaque effort pour maîtriser le langage. Il se laissa aller jusqu'au bout de son exploration, aussi loin que le porta le mot. Tataouette! Tatawouie! Tatafun! Un rire nerveux s'empara de lui, il venait de saisir, de déceler la valeur poétique des mots et le secret de leur pouvoir. Tatafun, c'était bien le miroir de sa situation : un "tata" en mal de "fun". Ce n'était pas génial, mais amusant.

Puis, s'opéra un autre miracle. Saint-Jean-Vianney venait à la rescousse. Il imagina un homme qui se rend chaque matin dans un restaurant, situé sur le bout d'une falaise collée au fleuve. Préoccupé par le murmure d'une secousse sismique, il tenta en vain d'attirer l'attention sur ce bruit étrange, ignorant que près de là des travaux de dynamitage se poursuivaient.

Il hurla de joie. Sauta. Courut dans son appartement. Embrassa le portrait de son épouse, décédée trois ans plus tôt, la croyant responsable de cet éclair de génie. « Je tiens mon histoire », hurla-t-il. Il ouvrit sa fenêtre pour répandre sa gaiété. Il se jeta à nouveau sur sa machine à écrire. Rayonnant.

Les lettres sonnaient drues. La maison s'emplit de

la musique du compositeur qui sait où il va, ce qu'il a à dire. Les phrases coulaient, roulaient. Quel plaisir d'écrire! Quelle fascination de voir tomber les mots exacts, vivants! Quelle harmonie quand les paragraphes se succèdent au gré des événements nouveaux, s'amplifient à chaque espace noirci sur la feuille!

Le plaisir dura peu de temps. L'histoire terminée ne couvrait que quatre pages. Cette nouvelle de forme parfaite ne souffrait pas d'être allongée d'une ligne. Les détails auraient été superflus. Vidé, exténué, Pierre pleura de rage.

Il s'en prit à Radio-Québec. Quelle idée d'exiger un texte aussi long!

Les administrateurs doivent vouloir encore deux nouvelles au prix d'une. La radio, c'est comme l'électricité, cela devrait rapporter de bonnes dividendes, mais plus on paie, moins on a de service : tout profite aux Américains. Les auteurs, même dans le domaine musical, cherchent à s'enrichir en nous anglicisant, sous prétexte que le marché est plus grand dans le Sud.

Deux brèves nouvelles du même auteur ne valent-elles pas un texte plus long? Ce doit être encore un réalisateur bolchévique!

Il songea à contester les règles du jeu. Il se façonna une pancarte : "Deux idées valent mieux qu'une!" Prêt à franchir la porte, le cadran le rappela à l'ordre. Il ne pouvait pas perdre son temps inutilement à déambuler sur le trottoir. Quelle farce! S'il ne voulait pas participer au concours, il en était bien libre. Il aurait fait rire de lui. Sa perspicacité venait de le sauver.

Pierre se calma avec peine. Il était humilié. Exaspéré. Vidé.

Pour se changer les idées, il se réfugia au parc. Les sapins frissonnaient. Il se prit d'affection pour un écureuil qui venait, à tout hasard, vérifier s'il n'y aurait pas une cacahouète, près du banc. Pierre fut étonné de la hardiesse de cette bête aussi pressée par le temps qu'il l'était, lui. Quelle ténacité à renifler tous les gazons, à bondir d'un arbre à l'autre. Quelle agilité! Il l'admirait de le voir aussi prévoyant, car l'hiver ne tarderait plus.

Il philosopha sur le sens de la vie. « Il est plus facile à un animal de survivre qu'à un homme » conclut-il. Nonchalamment, ses pas l'entraînèrent au centre-ville. Le luxe s'étalait dans les vitrines, lui rappelant son indigence. Sans trop s'en rendre compte, il pénétra dans la Taverne des Sports, jeta un rapide coup d'oeil. Des gens attablés discutaient bruyamment. D'autres s'ennuyaient visiblement. Seul, dans son coin, il délira sur son sort, répondit au serveur qu'il atttendait quelqu'un, remarqua une femme se faire une coiffure dans la vitrine. « Pourquoi la vie s'acharnait-elle contre lui? N'avait-il pas fait tous les efforts humainement possibles pour réussir? » Une bière arriva à sa table, devant lui... Où était cet ami qu'il ne connaissait pas? Probablement parti, trop vite pour recevoir un merci. Il but goulûment cette bière comme pour échapper à mourir de soif et se remonter le moral. Chaque gorgée brûlait une raison d'espérer.

Il entra chez lui découragé. Il prit une douche et se coucha. Après tout, ses rêves étaient encore plus faciles à supporter que la réalité. Les cauchemars se succédèrent. Pendu, un de ses livres le traitait de raté. Il était poursuivi par des mots qui prétendaient avoir été écorchés.

Le téléphone le tira de cette impasse.

Le directeur d'une école lui offrait un poste dans une classe de huitième année-immersion, à Sault-Ste-Marie. Il devait cependant passer une entrevue.

Qu'irait-il faire dans ce pays étranger qui ne parle que l'anglais et qui se prétend sien en écrasant les Français. S'il était unilingue anglais avant le référendum sur l'indépendance du Québec, pourquoi deviendrait-il bilingue maintenant que les liens sont coupés? Pourquoi jouer aux hypocrites en faisant croire que le français hors-Québec est autre chose que du folklore?

Pierre revint à sa nouvelle. Des centaines de fois,

il avait songé à travailler à l'extérieur du Québec, mais chaque fois, il s'était dit que sa culture valait mieux qu'un bon salaire. La prostitution, ce n'était pas son domaine et il ne croyait plus à la possibilité que nos voisins nous respectent après nous avoir si longtemps humiliés.

Il se remit au travail. Les plans se multiplièrent. Ils s'étalaient dans chaque espace vide. Un bon scénariste aurait pu nourrir une chaîne de télévision pour un an avec toutes ces idées. Pierre n'était jamais satisfait. Souvent, ses aventures naissaient d'un dessin qu'il griffonnait pour mieux se concentrer. La citation d'un auteur aimé donnait naissance à des péripéties rocambolesques, palpitantes. « Plus proche vraiment du roman policier que de la nouvelle », tranchait-il. Les textes remplissaient déjà un cahier, mais rien ne permettait de répondre aux exigences littéraires qu'il s'était fixées. C'était trop descriptif ou trop poétique. Les dialogues intérieurs, riches en émotivité, manquaient d'action. Les personnages étaient trop flous.

Pierre douta de son talent. Il décida que ce concours serait le dernier. Tant d'efforts pour aboutir à la poubelle! Quelle foutaise! Avec les milliers d'écrivains qui meublent les bibliothèques, il n'était qu'un simple inconnu dans cet univers. Il ne trouvait pas sa place. Il fallait innover, mais en quoi?

Il en vint à en avoir contre tout l'univers. Cette société dégénérée où tout est argent, l'excédait. Quelle vie! Travailler pour nourrir les maisons de finance. Travailler pour se faire gruger plus du tiers en impôts. Travailler pour perpétuer ces semaines à se demander comment boucler le budget. Travailler pour qu'à chaque augmentation de salaire d'un dollar, le coût de la vie grimpe de deux. Travailler pour faire vivre la mafia gouvernementale légale et cautionnée par nos votes. Travailler ou passer sa vie sur le bien-être social après avoir perdu sa jeunesse à étudier, car on ne peut même plus dire "qui s'instruit s'enrichit..."

Dupuis aurait voulu démantibuler cette machine

folle. Comment? Il était demeuré veuf pour être libre et il était aussi prisonnier que les autres. Plus ces idées tournaient, plus la colère montait.

« Monde de fou! » s'exclama-t-il, en frappant sur les meubles. S'il en avait eu le pouvoir, il aurait fait sauter cette planète insensée. Il se jeta sur le sofa et laissa fermenter sa haine. L'heure de tombée approchait. Le tic-tac de son cadran le repoussa à ses papiers.

Trois heures. Le téléphone retentit de nouveau. C'était encore l'école ontarienne à la recherche de missionnaire. Dupuis se rappela comment pendant la crise économique de 1980 à 1985, Ottawa et Toronto subventionnèrent les industries et les sièges sociaux pour déménager du Québec à la province de l'Ontario et faire croire que le référendum ou le vote péquiste avait un effet négatif sur l'avenir. Serait-il complice d'un autre chantage, déguisé cette fois, sur le plan culturel? Au diable! Ils se sont servis de l'immigration pour nous noyer et ils se servent maintenant d'emplois alléchants pour nous attirer à l'extérieur et nous assimiler à petit feu, en essayant encore de nous déraciner. « Up yours! »

Il valait mieux oublier cette distraction et s'engouffrer dans un travail de création. Il revit chaque papier. Ausculta chaque phrase. Rien. Le vide total. Pierre se crut le pire des abrutis. Il détesta jusqu'à sa coupe de cheveux. Devant un miroir, comme un avocat, il se mit à nu. Il s'accusa de tous les défauts, écrasa chacune de ses qualités. Il était vraiment le dernier des rénégats, des crétins. Un incapable. Un impuissant. Il se fit des grimaces, se menaça, mais ne trouva aucun moyen de se pardonner, de se faire pitié.

Il ouvrit son frigidaire. Trois oeufs! Il s'arrêta, se questionna. Devait-il manger? N'était-il pas mieux d'en finir en se laissant mourir de faim? Il pourrait dans une lettre expliquer ce qui l'avait poussé à poser ce geste. Peut-être que sa mort réussirait là où il avait échoué : faire comprendre la difficulté de vivre marginal. Il opta pour manger, après tout, il n'était pas certain qu'un journaliste s'emparerait de l'affaire. Un mort à la seconde, son sacrifice risquait de passer inaperçu. Aujourd'hui, même la mort ne consacre plus ses artistes. Il mangea les trois oeufs à coque, péta pour Steve (une vieille tradition interne) et se dépêcha de hanter les rues de Val-d'Or, espérant un miracle quelconque.

Il déambula quelques heures. Il scruta les trottoirs. Il se trouvait même une "cenne de chance". Il n'en doutait plus : sa déchéance était complète. Trois échelles se retrouvèrent sur sa route et, comble de malheur, une vieille dame lui offrit un chat noir, petit, tout de même! Il était complètement abattu. Jamais il ne s'en sortirait...

Il saisit une vieille Presse, édition du dimanche, qui traînait sur un banc. Il lut l'horoscope. « La chance vous pourchasse. Vous recevrez une somme d'argent inespérée. Ayez confiance en vous! Vos efforts seront récompensés. » Il se sentit revivre. Jamais son horoscope ne l'avait trompé. Il ne douta plus une minute. Il remporterait le prix de la nouvelle littéraire. Il retourna chez lui à toute vitesse. Il s'installa à sa table de travail, mais rien ne venait. Et, il en était à une journée de l'heure de tombée. Les doutes le saisirent à nouveau.

Le téléphone sonna. Pas de chance. Ce n'était que Hélène. « Chaque fois que j'ai besoin de me concentrer, elle téléphone. J'aurais dû le débrancher. Elle en a toujours pour une heure à me raconter ses peines. Ma dernière soirée est à l'eau. Je ne finirai jamais à temps », se dit Pierre.

Hélène était plus troublée qu'à l'habitude. Elle pleurait. Elle raconta en utilisant mille détails la disparition de sa fillette Marie-Ange.

Pierre hésita. Il faut écouter les gens perdus dans une aussi profonde douleur.

Il est plus important d'être un ami que de triompher sur la place publique, décida-t-il.

— As-tu averti la Police?

— Non! je l'avais oublié. Je suis si énervée. Je te laisse.

Je te donnerai des nouvelles.

Sauvé! Pierre respira. Il ébaucha un texte qui lui sembla aussitôt insignifiant. Lc téléphone retentit à nouveau. « Je ne peux pas avoir plus d'une heure de liberté, nom de...! »

— Oui?

— C'est encore moi. C'est Hélène. (Comme s'il ne l'avait pas reconnue!) J'ai retrouvé Marie-Ange. Elle était couchée au grenier. Je ne sais pas pourquoi elle est montée là. Je me le demande encore.

Le monologue dura plus d'une heure. Hélène répéta le même disque à toutcs les dix minutes. Pierre écouta patiemment, plaçant le début d'un commentaire quand il le pouvait. Enfin, il pu regagner ses essais. Hélène avait raccroché après mille mercis car elle s'était rendue compte que la porte du grenier était entrouverte, en allant téléphoner.

Pierre s'écrasa sur son sofa. Ce tourbillon de mots l'avait étourdi. Il songeait à cette aventure quand il sursauta. « La voilà, ma nouvelle! »

« Une femme court au magasin acheter un litre de lait. Une voisine la retient. Un lit à vendre. La conversation s'allonge. Elle retourne chez elle juste à temps pour sauver son souper, mais sa petite fille a disparu. Elle cherche partout où elle peut imaginer la retrouver. Sans résultat. Elle panique. Elle court de maison en maison, pas d'enfant. Les voisins alertés, toute la rue se lance à la recherche de la gamine. La mère, bouleversée, appelle la police. Battue générale dans la ville. Nuit de tempête et de froid. Des amis gardent la maman à coucher. S.O.S à la radio. Les émissions se succèdent. Toutes les hypothèses sont lancées. Évidemment, on craint un inconnu... ou était-ce cet enfant qui marchait vers le lac? La mère court d'un studio de télévision à l'autre. Une photo doit être montrée partout. La femme se rend à la maison chercher la photo la plus grande pour une autre chaîne de télévision plus capricieuse. La porte du grenier est entrouverte. Elle monte. L'enfant dort à poings fermés dans son ancien berceau. Le pouce entre les dents. »

Vite! A la course! Il se remit au travail. Il ne lui restait plus qu'à photocopier le texte en quatre copies. Pas d'argent. Tout était bel et bien fini. Une idée! Il fouilla dans ses paperasses, sortit des papiers carbones. Il écrivit sans s'arrêter. Plus il se hâtait, plus les fautes pleuvaient. Il transpirait à grosses gouttes. Chaque seconde comptait.

Encore le téléphone. Pierre sauta dessus. Enragé. Qu'était-ce encore? « Un téléphone, c'est toujours un instrument de supplice... » songea-t-il. Il regarda son cadran, rongé d'anxiété. Et il tira le fil.

Il termina son texte de peine et de misère. Affolé, devant la Caisse Populaire, il s'aperçut qu'il avait oublié la moitié de son chef-d'oeuvre sur la table. Il revint à son point de départ. Il courut, tomba dans les escaliers, se releva, arriva juste au moment où l'on fermait les portes de l'édifice où logeait Radio-Québec.

Incapable de se retenir plus longtemps, il laissa échapper un « Grouillez-vous! » Il essuya le regard d'une secrétaire capable de le tuer. Il entra enfin au bureau indiqué. Juste à temps. Épuisé. Essoufflé. Il remit son enveloppe et s'écrasa sur le plancher. Il reprit vite conscience. Les secrétaires le regardaient ahuries, lui reprochant de retarder leur départ. Qu'importe! C'était mission accomplie.

A la sortie, ses yeux se transformèrent. Il reprit sa politesse. Il rayonnait, se pavanait. Gonflé d'orgueil, il marchait sans se soucier de sa destination. Il était devenu un auteur. Il s'offusqua qu'on ne le remarquât pas davantage et pensa qu'il fallait peut-être attendre les résultats du concours avant de connaître sa gloire.

Il revint à la maison à pied. Tout était beau. La circulation dans laquelle les autos se tamponnaient presque l'émerveilla. Quelle poésie! Il souriait aux conducteurs qui avaient des mines impatientes. Il salua le soleil qui disparaissait. Tout était merveilleux. Il était enfin quelqu'un. Maintenant, l'humanité ne saurait plus se passer de lui.

A la porte de son logement, il rencontra Matthieu qui l'avait instruit du concours. Exubérant, il lui tapota les épaules, multiplia les "mon ami, mon frère". Il n'avait pas été aussi heureux depuis très longtemps. Par humilité, il attendit quelques minutes avant de se vanter de son travail inspiré du siècle. « Il révolutionnerait certainement la littérature », affirma-t-il.

La joie fit presque oublier à Matthieu pourquoi il s'était rendu chez Pierre.

— Au fait, dit Matthieu, j'ai oublié de te rendre les 200$ que tu m'avais prêtés. Les voici.

Pierre les refusa presque tant son bonheur était grand. Son succès futur lui faisait oublier jusqu'à sa faim.

Il grimpa chez lui ranger ses précieux documents. Il les classa. C'était pour les Archives nationales, pour les chercheurs de demain. Il conserva les manuscrits qui contenaient peu de ratures : « L'humanité saura reconnaître ainsi mon assurance ». Les autres feuilles prirent le chemin de la poubelle comme des preuves à éliminer.

Le bulletin de participation du concours s'échappa d'un groupe de feuilles inutiles et il glissa sur le plancher. Pierre se pencha, le ramassa avec préciosité, l'embrassa.

C'est alors que le titre lui creva les yeux. Il en demeura abasourdi, sidéré. Il le répéta, troublé, pesant chaque syllabe. Sa surprise était de taille. Il relut les lettres une à une. Elles semblaient grossir comme pour le narguer :

«QUATRIEME CONCOURS DE POÉSIE»

WEEK-END

Colette Asselin

Sept heures moins quelques minutes.

Lucie conduit sa petite auto en grelottant. C'est encore la demi-obscurité à l'extérieur. Il fait un froid humide qui traverse l'air et pénètre les fibres de laine de son manteau. Sa respiration embue le pare-brise et atténue sa visibilité. Elle actionne la commande de chauffage. Aussitôt, un souffle tiède envahit l'habitacle.

— J'espère que je ne suis pas en retard...

Elle doit rejoindre ses compagnons, étudiants en arts. Ils partent vers Québec pour la fin de semaine afin d'admirer cette extraordinaire exposition qui vient de Russie et qui attire les foules en ce moment.

Tout d'abord, elle ne voulait pas se joindre au groupe et se tasser à quatorze dans un mini-bus de location. Elle craignait la fatigue inutile, et peut-être aussi, l'intimité qui se crée pendant un tel voyage. Se taper quelques milliers de kilomètres dans l'inconfort en une si courte période de temps, ce n'est vraiment plus de son âge. Pourtant, retourner aux études avec ces mêmes étudiants, partager les mêmes ambitions, n'avaient rien à voir avec son âge quand elle en avait pris la décision.

— Peut-être suis-je dans la phase critique de ma seconde adolescence! pensa-t-elle en souriant.

Les amis avaient insisté pour qu'elle se joigne à eux et elle s'était laissée convaincre. Picasso et Gauguin y étaient ausssi pour quelque chose. Elle adore ces deux peintres qui représentent pour elle la vraie liberté artistique.

Le ventre lui gargouille. Le demi-café avalé en vitesse lui cause un drôle d'effet.

— J'aurais dû manger quelque chose de consistant... Il reste encore deux heures avant le premier arrêt une fois dans le mini-bus.

Elle conduit sa petite auto à l'intérieur du parking qui longe les locaux universitaires. La bande de joyeux lurons est déjà là et s'affaire à placer les bagages à l'intérieur du véhicule. Lucie les rejoint et elle est accueillie par de retentissants «Hello!».

— Nous sommes au complet, assure la responsable au conducteur, nous pouvons partir.

— Prochain arrêt : Le Domaine. J'espère que tout le monde a pris ses «précautions»! lance le conducteur en s'installant derrière son volant.

Val-d'Or s'éloigne dans la grisaille matinale de novembre. La route, à cette heure, est presque déserte et les pneus des véhicules laissent des traces noires dans la neige mouillée qui gicle en brume derrière les roues.

L'automne est déjà avancé et pour Lucie, cette période de l'année est triste et mélancolique quoique l'approche des Fêtes la stimule toujours. Elle a encore ce côté enfant qui lui fait vivre de douces émotions et d'heureux souvenirs quand elle écoute de la musique de Noël ou des cantiques religieux. Quelque chose de mystérieux se passe alors en elle et la transforme en un être flottant au coeur et aux pas légers. Elle a transmis à sa fille, maintenant âgée de vingt ans, cette même façon de vivre cette époque privilégiée de l'année.

Yves, son mari, ne s'en plaint pas. Il participe à toutes les festivités et à toutes les activités traditionnelles qui font maintenant parties de la vie familiale. Il s'est toujours amusé des occupations effervescentes qui enflamment «ses deux femmes», comme il se plaît à les appeler, à l'approche des Fêtes et de Noël en particulier.

Ah! ce cher époux, il est la principale cause de la décision de Lucie d'entreprendre ce voyage avec son groupe d'étude. Lucie concentre sa pensée sur son compagnon d'existence, le dénommé Yves. Il est absent de la maison depuis déjà deux semaines, parti à l'école gouvernementale de Cornwall où il doit recevoir un cours de spécialisation sur un nouvel équipement électronique servant à la sécurité aérienne à l'aéroport où il travaille.

Elle y est habituée à ces cours maintenant, depuis le temps... Ces absences se produisent assez fréquemment. En plus des cours, il y a les assemblées syndicales dont il est le représentant et qui l'éloignent aussi. Au début, Lucie l'accompagnait quand cela lui était possible, mais maintenant elle est lasse de ces voyages et elle a préféré s'inscrire à des cours universitaires qui lui apportent une certaine satisfaction personnelle. Yves, il lui faut l'admettre, l'a toujours encouragée et elle lui en sait gré. Parmi ses compagnes et compagnons de cours, il y a des mariages brisés, des femmes seules avec de lourdes responsabilités et d'autres en mal de vivre. Elle se trouve chanceuse et heureuse dans sa petite vie sage, tranquillement installée dans sa sécurité acquise.

Les voyageurs sont silencieux. Chacun semble vouloir continuer la nuit écourtée. Les yeux clos, la tête ballante, ils semblent s'être assoupis.

Si Yves n'avait pas été absent, elle n'aurait sans doute pas accepté de faire ce voyage dans ces conditions, surtout que la météo prévoit du mauvais temps et a émis un avis de danger sur les routes.

Les gargouillis de son ventre s'apaisent. Le temps s'assombrit et la neige commence à tomber. Le conducteur conduit vite, trop vite selon Lucie et elle commence à ressentir une certaine crainte. Elle n'aime pas les longs déplacements en auto surtout avec un conducteur qu'elle ne connaît pas. Elle a l'impression d'avoir remis son destin entre les mains d'un inconnu antipathique.

Le mini-bus dépasse quelques véhicules lourds malgré la visibilité réduite par la neige en eau qui gicle avec force et bruit de ces monstrueux poids-lourds.

La crainte de Lucie devient lentement de l'anxiété qu'elle semble être la seule à connaître. Les autres qui somnolent ne paraissent pas s'en faire outre mesure.

Lucie soupire de soulagement : Le Domaine est atteint et on s'arrête enfin. Le déjeuner lui calme quelque peu l'esprit et la réconforte. Peu avant le départ, elle s'approche de la responsable du groupe.

— Claude, peut-être pourrais-tu demander au conducteur de conduire un peu moins vite. Nous ne sommes pas si pressés après tout.

— Tu as raison. Moi non plus, je n'aime pas tellement la façon de mettre son pied sur l'accélérateur de ce gars-là.

Claude va trouver le bonhomme en question et lui fait des remontrances.

— Ça va, ça va, grogne ce dernier, mais je veux avoir dépassé Montréal avant que la météo ne se gâte pour de bon. Alors, je vous demande de vous calmer les nerfs!...

Les voyageurs s'embarquent à nouveau. Quelques-uns s'efforcent de plaisanter et ils commencent des chansons qui tombent vite à plat. Après une heure d'efforts valables, finalement tous abandonnent. La neige tombe avec abondance et l'inquiétude s'installe dans le véhicule. Près de Saint-Jérôme, l'accumulation est très importante. On s'arrête à peine pour dîner et se rendre aux toilettes. Puis, on repart en pensant au risque de la situation.

La fatigue commence à se faire sentir, les passagers bougent beaucoup sur les banquettes étroites. La visibilité est devenue presque nulle. On ne voit qu'à quelques mètres devant soi. L'anxiété du début se change lentement en angoisse qui, à son tour, se change graduellement en peur qui se communique de l'un à l'autre. On se tient par la main. Lucie serre les mâchoires à se les faire craquer. Elle ose à peine respirer. Seul, le conducteur ne semble pas être conscient de la situation qui règne à l'intérieur du petit autobus. La route est devenue pour lui un adversaire à vaincre. Il n'avance plus qu'avec difficulté. De temps à autre, devant, jaillissent des éclats de lumière bleue provenant des véhicules de déblaiement et de quelques phares en perdition dans la demi-obscurité de la tempête. Tous se posent la même lancinante question : « Combien plus loin encore, pourrons-nous avancer? »

Soudain, à la hauteur de Trois-Rivières, ou presque, le moteur étouffe et se tait. Tout semble en panne. Plus de phares, plus d'essuie-glace, plus de chauffage, plus rien. Tous descendent du mini-bus et ils le poussent sur le bord de la route, qui a été déblayée. La neige tombe toujours en abondance et là, dans cette enveloppe de coton humide et froide, le groupe se sent presque soulagé et respire enfin.

Deux volontaires font de l'auto-stop jusqu'à Trois-Rivières. Ils reviennent une heure plus tard avec un autre mini-bus de location, plus spacieux celui-là, et une dépanneuse. Les voyageurs, fatigués, trépignent d'impatience et se plaignent du froid. Ils déménagent les bagages dans l'autre véhicule et y montent. Une bonne chaleur les accueille et les engourdit. Les volontaires du sauvetage ont faim et exigent un temps d'arrêt raisonnable pour se restaurer et se désankyloser. Cette fois, même le conducteur ne proteste pas.

Il range le véhicule dans l'aire de stationnement d'un restaurant dont l'enseigne lumineuse perce les rafales de neige en se balançant au vent.

L'endroit est désert et plutôt minable. Le patron, de toute évidence, n'attendait pas de clients par un temps semblable. Chacun marche en faisant des exercices d'assouplissement dans les allées et d'autres prennent d'assaut le cabinet de toilette.

Lucie commande une bouteille de vin blanc et se glisse sur une banquette à la bourrure un peu défoncée et à la couleur passée. François, le professeur de peinture, avec aussi une bouteille de vin à la main, s'installe en face d'elle. C'est un homme d'âge moyen, d'origine française, compétent, timide et sympathique. Il lui sourit.

— Dans très peu de temps, nous serons à Québec. Allons, un peu de courage.

— Je me souviendrai longtemps de cette équipée, je te le jure...

— Le patron affirme que les déneigeuses viennent de passer, il nous sera donc facile de nous rendre à destination. La tempête semble avoir perdu un peu de son intensité, je crois.

Daniel, un des membres du groupe, en phase de désintoxication alcoolique, se promène nerveusement de long en large. Il allume une cigarette et jette sur la troupe un regard mauvais.

— Cette fois-ci que personne ne vienne me dire d'écraser, car je l'assomme!

Pendant le voyage, il s'était fait dire à plusieurs reprises de respecter l'espace restreint et de diminuer sa consommation de cigarettes... ordinaires et de marijuana... Le stress de la privation et la peur ont finalement eu raison de ses nerfs et maintenant, il explose littéralement. Il finit par s'adresser au conducteur.

— Et toi, sale con!... Si c'est nous tuer que tu veux, on peut régler ça tout de suite... Si t'es pas capable de conduire, donne ta place à d'autres!

— Allons, Daniel, du calme... Nous sommes tous un peu énervés, admet Lucie. Après tout, ça n'a pas été si mal pour d'aussi mauvaises conditions routières. Nous y sommes presque. La camionnette est plus confortable. Un bon repas, et ça va aller beaucoup mieux, tu verras!...

L'énergumène se calme un peu mais il émet quand même une réflexion désabusée :

— De toute façon, je ne reviendrai pas avec vous. Je n'ai pas confiance...

Lucie sent le malaise s'installer en elle et dans le groupe. L'appétit n'y est plus. Même si Daniel a exprimé le sentiment général sur l'attitude du conducteur, personne n'approuve son explosion de colère.

Comme prévu, le reste du trajet se passe sans problème quoique la neige tombe toujours poussée par le vent. Enfin, le véhicule s'immobilise devant un hôtel, aux environs de vingt-trois heures dans la nuit, ce qui fait un bon seize heures de fatigue accumulée par le groupe épuisé. Chacun se dirige d'un pas lourd vers sa chambre.

On s'est donné rendez-vous avec armes et bagages à dix heures dans le hall de l'hôtel.

Lucie se glisse douillettement entre les draps, pendant que sa compagne de chambre dorlotte ses muscles sous la douche. Les membres de Lucie la font souffrir. Elle se dit qu'elle n'aura pas assez de toute la nuit pour récupérer. Le bruit que fait l'eau de la douche l'engourdit et elle s'endort.

La sonnerie du téléphone la réveille en sursaut. Pour un instant, elle se demande où elle se trouve. Elle décroche le combiné. Le voix grave de la réceptionniste lui dit : « Bonjour! Il est neuf heures, madame. On me demande de vous réveiller. »

— Merci.

« Ça doit être Claude », pense Lucie.

Sa compagne de chambre dort toujours. Elle la secoue.

— Allez, debout, mademoiselle! Gauguin et Picasso nous attendent.

Dans le restaurant de l'hôtel, les membres du groupe semblent s'être remis des émotions de la veille et s'être reposés. A la table du déjeuner, on plaisante et on rit.

Peu après, tous sont de nouveau installés dans le véhicule et ils préparent les caméras. La tempête a cessé, mais les amoncellements de neige dans les rues sont impressionnants et vont demander un intense travail de déblayage. La circulation est lente et difficile. La ville de Québec a l'air d'un tas de pierres grises étalées sur de la laine vierge. Elle a conservé son visage d'antan et son charme de vieille dame fragile.

Lucie a toujours aimé Québec. Elle y a même vécu pendant un certain temps au début de son mariage. Cette ville conserve toujours un attrait tout à fait particulier.

La façade grise du musée est mouillée et

dégouline de neige fondante. Les visiteurs sont rares, sans doute à cause de la tempête de la veille. Les guides à l'intérieur forment des groupes restreints avec les visiteurs et commencent la description et l'analyse du contenu de l'exposition.

Lucie suit un peu en retrait. Elle n'écoute plus le guide. Elle veut se laisser imprégner par la magnificence des oeuvres qui ornent les murs. Le temps passe comme dans un rêve.

Le groupe s'est éloigné d'elle. Elle s'attarde longuement devant deux oeuvres de Gauguin. Elle se laisse prendre tout entière par les couleurs chaudes et l'esprit du peintre qui les habite. Un couple passe devant elle et s'arrête, obstruant son champ de vision. Elle se sent contrariée et attend qu'il se déplace.

— Tiens, cet homme ressemble à Yves de dos. C'est étonnant...

Sa curiosité piquée, Lucie fait quelques pas de côté pour bien voir le visage de l'homme qui se penche amoureusement vers sa compagne. Toute cette beauté qui les entoure semble n'avoir qu'une importance secondaire à leurs yeux.

Lucie se penche lentement vers le couple inconnu. Elle ne cherche plus à voir son visage à lui. Elle sait. Stupéfaite, la bouche entrouverte, proche de l'asphyxie, elle sent une chaleur intense se répandre dans tous ses membres : la chaleur de la lave en fusion, le grondement des chutes du Niagara et la violence de la tempête de la veille dans sa tête.

Lorsque les yeux de son mari se posent enfin sur elle, elle peut clairement y lire d'abord l'incrédulité, ensuite, la panique, puis une gêne extrême pendant que lui monte au front la rougeur de la culpabilité. Aucun son ne sort de sa bouche ouverte.

Quand Lucie regarde la femme... sa belle-soeur Johanne, elle la sent fondre comme de la cire d'abeille sous une vive source de chaleur. Elle comprend alors pourquoi on tue dans des cas similaires, car une envie de destruction vient l'envahir tout entière comme un besoin incontrôlable.

Elle recule et quitte les lieux d'un pas d'automate. Dehors, elle retourne au mini-bus où le conducteur tue le temps le nez enfoui dans un roman policier, genre Rambo amoureux de son magnum... Elle ouvre la portière et prend son sac de voyage.

— Vous direz aux autres que je rentre par avion.

Elle fait un signe à un taxi, qui peine dans la neige sale et mouillée pour s'approcher du trottoir.

— A l'aéroport...

Écrasée sur le siège arrière, elle essaie de calmer la course folle de ses pensées.

« Allons, du calme, reste lucide, il le faut... Comment se fait-il qu'une peine aussi violente ne tue pas?... Je leur ai quand même gâché dangereusement leur week-end!... »

Un fou-rire la secoue, comme un sanglot.

« Non, pas tout de suite, fille, tu n'es pas prête à pleurer encore. Tu ferais bouillir tes larmes qui sortiraient en vapeur et se condenseraient sur le plafond de l'auto. Ça pourrait noyer le conducteur!... Tout ça est tellement sordide, dégueulasse et... banal... Pauvre cocu de frère... Pauvre trompée de moi... »

Une fois dans l'avion, Lucie rédige une liste contenant toutes les façons de réagir qui sont classiques et banales et que l'on doit retrouver dans une situation comme la sienne. Et à côté, dans la marge, elle note les moyens inusités qui pourraient s'appliquer à son cas. Elle se sent un peu moins malheureuse, même forte maintenant.

« A bientôt, cher Yves... »

LA MAISON DES RETRAITÉS

Marguerite Bolduc

Avril, le mois du renouveau comme on dit si bien. La neige et la pluie s'affrontent, tamisant la clarté terne du printemps. La terre détrempée apparaît et l'hiver abandonne lentement. Voici cinq mois qu'il est là et il faut qu'il parte. Car il s'installe très tôt dans la région. Continuel tracas que ce climat. Et pourtant, personne ne songe à le dénoncer même si on s'en plaint à grands cris. On se croit délaissé par la Nature et pourtant, ces gémissements s'estompent aux premiers sourires du printemps.

Quelques prémisses du renouveau se lisent dans l'environnement. La pluie lave les dernières saletés que le vent et les rafales ont déposées ici et là. Soudain, une mélancolie trouble l'air matinal et un ciel obscur pousse des masses ombrées quelque part là-haut.

Une maison de retraités, solitaire, dont l'allure solide rassure. Oui, son air massif est tel qu'on la croirait à l'abri de tout. Minuscule, sans être extravagante, elle a un petit côté mystérieux. Ses fenêtres comme embusquées derrière leurs auvents, les portes d'une solidité à toute épreuve avec leurs serrures, les tentures fermées hermétiquement, indiquent des moyens ingénieux afin d'éloigner les rôdeurs et les curieux.

Il y a une autre bâtisse à l'arrière, une sorte de garage fourre-tout. Le même concept, en somme, de recherche de sécurité. Le tout situé sur un coin de rue, loin des regards indiscrets, même si le décor est très impressionnant.

Tôt le matin, Denise passe régulièrement devant

la résidence vide de ses parents. Cette maison qui fait tout pour éloigner les intrus et qui veut garder son intimité, impose par son silence. Les propriétaires, ses parents, sont absents pour la saison hivernale. Denise éprouve toujours une certaine satisfaction à la regarder : une routine qui la soutient moralement.

Il va sans dire que l'ennui s'empare d'elle par phases périodiques. La saison nouvelle apporte un aspect joyeux en ce sens qu'elle sait le retour prochain de ses parents. Elle ne veut surtout pas gaspiller cette journée à s'attarder sur le vide qu'elle ressent de temps à autres; cela devient avec les années une certaine forme d'adaptation. Aujourd'hui, tout s'accorde avec ses pensées. Ses parents seront bientôt là et la vie familiale se reformera de nouveau... Entre-temps, l'attente de ce retour prévisible efface les séquelles de l'absence prolongée et écarte les regrets d'un hiver rigoureux.

Il s'attarde, cet hiver, mais le printemps lui fait perdre sa superbe. Les flaques d'eau gelée du trottoir rendent la marche difficile. La jeune femme avance avec précaution. L'eau glacée rend son pas hasardeux. Ses bottes lourdes glissent et elle fait un geste brusque comme pour parer une chute possible.

La voilà devant la maison. Stupeur! Denise n'en croit pas ses yeux. Elle ne peut exprimer sa surprise. Elle se fige, puis elle est saisie d'un frisson qu'elle ne peut contrôler.

« Ah, ça! C'est impossible, pas une autre fois! » crie-t-elle, terrifiée par ce qu'elle voit.

Là-haut, le toit de la maison est percé et la grille du ventilateur défonçée. La pluie bat son plein. Le vent entre d'une façon intermittente. La gouttière est déplacée, écrasée. Des traces de grosses bottines marquent une direction vers le côté de la maison, tout près de la clôture.

Sa première pensée est d'avertir quelqu'un. De bonne heure le matin, les voisins dorment encore.

Le temps maussade persiste. Elle regarde les

alentours. Finalement, de l'autre côté de la rue, une porte s'ouvre. Une voix l'interpelle et elle en soupire de soulagement. Voici que l'attention se fixe sur elle.

— C'est arrivé une autre fois, j'en suis certain! J'ai entendu un bruit agaçant, la nuit dernière, comme une sirène de police. J'ai cru à une panne d'électricité. Je vois bien que la système d'alarme a fonctionné. C'est un cambriolage chez vos parents, encore une fois?

Le père Vincent, le voisin d'en face, essaie de s'expliquer cette affreuse découverte. Mais Denise, toute bouleversée, émue,ne l'écoute pas. Son regard se porte ailleurs : une autre maison, celle du gardien. Tout paraît tranquille, pas un signe de vie nulle part. Drôle de coïncidence!

— Je vois que Dollard est absent.

Elle est tellement soucieuse qu'elle oublie la gravité de la situation. Toujours cette pluie ennuyeuse qui la transperce et la rend nerveuse.

Le vieil homme regarde, lui aussi, de ce côté-là. Il se souvient d'un départ précipité, hier, dans la soirée. Dollard filait à toute allure dans une voiture neuve. Un voyage d'affaires, sans doute.

— Venez à la maison, vous réchauffer. En même temps, vous en profiterez pour avertir la police. Il faut le faire le plus tôt possible.

Il entraîne la pauvre fille chez lui malgré elle. Ses pas traînent en traversant la rue aux îlots de neige salie et fondante, aux amas de glace sournoise. Son esprit est agité par des pensées sombres, mille idées se bousculent dans sa tête. Sans plus de résistance, elle suit le vieil homme à l'intérieur de son domicile.

Denise tente vainement de comprendre la raison de cette effraction. Elle sent son énergie fondre sous le poids de cette malheureuse réalité. Une émotion l'envahit qu'elle ne peut dissimuler; elle est effrayée. Les conséquences de cette intrusion dans la maison de ses parents ne lui échappent pas, même le bon sens n'explique pas un tel cambriolage.

Le même épisode de l'an passé se répète. Mais cette fois, le calcul d'une personne expérimentée démontre un projet planifié d'avance et de l'assurance pour ce genre de crime. La solution de ce vol sera-t-elle encore une énigme? Et les coupables seront-ils découverts? Personne, de toute façon, ne peut comprendre cet acharnement contre des gens retraités. Sous ce mystère se cache peut-être une vengeance longtemps projetée.

Le policier, préoccupé par cet appel inattendu, pense lui aussi à un acte de vengeance personnelle. Mais certaines indications tendraient à prouver le contraire. Tout est possible. Il s'assure que les empreintes sur la pelouse glacée mènent directement à l'arrière de la maison. Il cherche autour, espérant trouver un indice quelconque, mais rien ne vient appuyer une théorie ou l'autre. Les voleurs n'ont laissé aucune signature permettant de les identifier, bien sûr. Les réflexions du policier le mettent sur la piste. Brusquement, il invite Denise et le père Vincent à le suivre dans la maison. La jeune femme retrouve les clefs, cachées au fond de son sac et elle pénètre avec réticence dans la demeure de ses parents, suivie des deux hommes.

La maison est silencieuse et transie, presque lugubre. L'électricité est coupée et le système de sécurité ne fonctionne plus. Par conséquent, il n'y a de chaleur nulle part. L'humidité pénètre les os jusqu'à la moelle.

Et aussi, l'obscurité constitue une difficulté. Il est urgent de faire revenir la lumière. La clarté du jour ne réussit pas à percer car les rideaux épais couvrent les fenêtres. Impossible d'aller plus avant, alors le père Vincent s'offre pour tout remettre en place. D'ailleurs, il connaît bien le sous-sol où est situé le panneau électrique. C'est un vieil ami de la famille, il comprend et il est habile de ses mains. Voilà qui est fait. La lumière inonde les pièces comme une bouffée chaude. Un support moral qui accentue le sentiment de curiosité de chacun.

Un aperçu de la situation expose un tragique tableau. Les dégâts matériels sont incalculables. L'ensemble démontre un vandalisme sauvage et cruel. Une pareille frénésie de destruction suscite la répulsion.

Ironie du sort, une maison aussi bien protégée contre le vol n'y a pas échappé. La brutalité de l'effraction abasourdit Denise. Elle ne parvient pas à comprendre cet acte exécrable. Ce n'est pas un cambriolage aussi anodin que celui de l'année dernière, mais bien une démolition pure et simple! Une autre fois, quelle malédiction!

Le père Vincent semble inquiet. Il distingue une clarté provenant du couloir qui mène aux chambres. Les trois s'avancent. Là, au plafond, le petite trappe du grenier est ouverte, béante, et laisse entrevoir un gigantesque fouillis.

« C'est sûrement par là que les voleurs sont passés », suppose le père Vincent.

Le policier quant à lui s'occupe à vérifier. Il monte dans l'échelle et passe la tête par l'ouverture. La noirceur le reçoit dans le grenier. Il parvient à peine à distinguer l'ouverture de la grille du ventilateur démoli et le trou dans la toiture qui a été bouché avec du vieux journal froissé et maintenant trempé. Les fils arrachés du système de sécurité et un tas de choses jetées à la hâte font penser à une interruption malvenue pendant l'acte. Le grenier ressemble à un mélange de ouate rose écrasée de çi de là. En définitive, c'est de cet endroit que l'effraction a eu lieu et aussi la fuite probable des cambrioleurs. Pressé de compléter son enquête, le policier tranche : une simple affaire de vol assez banale. Il pense qu'il peut s'agir d'une histoire de jeunes. Une complicité sans doute entre des filous et quelqu'un qui connaissait bien l'endroit.

Denise réfléchit, surtout qu'elle devra apprendre la mauvaise nouvelle à ses parents. Leur modeste maison est fonctionnelle. Elle représente des années de vie et le passé. Le mobilier, les objets précieux et les souvenirs amassés expriment pour eux la beauté, la réussite et l'amour de leur existence. Des gens de leur âge ont tellement besoin de tout cela dans le temps de la retraite. Ils en saisissent l'utilité pour combler et consoler leurs derniers jours.

Pour eux, le retour sera pénible et leur désarroi sera complet! Dans une petite ville comme la leur, au fond de l'Abitibi, les langues vont bon train. On met des étiquettes sur tout. Ils seront le sujet de bien des conversations. Denise pense à toutes ces rumeurs et elle en est peinée.

Le policier descend du grenier. Puis, immobile, il regarde les deux témoins. Brusquement, il change d'attitude. Il vient d'avoir une intuition qui le rend sceptique mais cette idée extravagante sur le coup, lui semble plausible. Il jette un regard scrutateur sur le père Vincent.

— Vous avez entendu la sirène quand le système d'alarme s'est déclenché?

— Oui, oui. J'ai entendu un vacarme d'enfer. Ça a duré peut-être quelques secondes, puis ça a cessé. J'ai cru à une panne d'électricité...

— Et le gardien de la maison, où est-il?

— Probablement en voyage, répond le père Vincent.

Il n'ose plus en dire davantage. Il hésite à s'impliquer. Pour eux, les gens retraités, le silence est obligatoire. Ils ont une attitude de retrait et ils ne causent pas facilement au sujet des vols effectués récemment dans le voisinage.

Denise trouve cette affaire trop compliquée pour exprimer sa pensée. Dollard, le gardien, ne l'a pas avertie de son départ. Surprenant. Le policier constate que son enquête traîne de la patte. Il reste silencieux et grave. Denise dit avec tristesse :

— Évidemment, la maison a besoin d'un vrai nettoyage.

Le père Vincent offre ses services une autre fois. Il faut remettre les meubles en place, ramasser les objets brisés et prendre note des articles disparus.

Le policier s'apprête à quitter les lieux, non sans oublier ses dernières recommandations :
— N'oubliez pas d'avertir la compagnie qui s'occupe du système de sécurité. Il faut tout noter en détail. C'est important pour mes dossiers et celui de la compagnie d'assurances. Je suis certain qu'il y aura une très grosse réclamation de la part de vos parents.

La semaine se termine paisiblement. Denise et les voisins sont infatiguables. Un travail acharné remet tout en place dans la maison. Sûrement, il manque de nombreuses choses irremplaçables, mais tout le monde se raisonne et finalement, on admet que ce sera moins difficile pour les habitants à leur arrivée puisque tout sera remis en place.

Le policier continue son enquête et, cette fois, du côté du gardien Dollard. Celui-ci est revenu et semble très penaud. Il n'a aucune raison valable à avancer pour son absence subite.
Il prétend qu'il a dû faire un voyage à l'extérieur pour visiter sa famille. Cependant quelqu'un a eu connaissance de son départ précipité et il a agi en conséquence. Une manière assez connue pour s'introduire dans un endroit et s'emparer de choses dispendieuses et sans doute convoitées depuis longtemps. Le policier a deviné.

Les auteurs de ce vol sont des juvéniles, il en est presque sûr. Un dossier sur les vols récents donne une bonne piste intéressante. Même si l'effraction de la maison des parents de Denise n'est pas ordinaire. Il se souvient qu'un garçon a quitté la maison de détention, en cachette afin de perpétrer ce cambriolage excessivement difficile à cause du système d'alarme et des serrures. Ceux-ci furent vite neutralisés. Il entra dans la maison sans commettre la moindre erreur. Il le fit d'une façon ingénieuse. Un spécialiste! Avec quelques copains, ce fut un jeu d'enfant... Mais le policier préfère garder pour lui cette intuition.

Denise referme, une dernière fois, la porte de la maison de ses parents. Tout est en ordre et tout respire la tranquillité. Il ne reste que peu de traces de l'intrusion. Elle sourit presque. Une tâche insurmontable à laquelle, elle est venue à bout, elle est satisfaite.

La neige a complètement disparu. Quelques rayons de soleil illuminent sagement ce coin de rue et l'espérance de meilleurs jours se profile à l'horizon.

Le père Vincent se propose pour veiller sur la maison. Le gardien, Dollard, a été démis de ses fonctions avec toute la politesse requise afin de n'éveiller aucun soupçon à son endroit.

Un matin, quelques jours plus tard, le policier se présente à l'appartement de Denise. Elle, toute surprise, s'imagine un autre interrogatoire : peut-être d'autres renseignements afin de fermer le dossier.

Non, il est grave et plus distant cette fois. Ses explications deviennent de plus en plus embrouillées. Diplomate, il laisse échapper des bribes du mystère qui entoure le neutralisation brutale du système de sécurité. Aussi, il dit avoir trouvé étonnant, l'ouverture du grenier, la gouttière basculée et les traces de bottines sur la pelouse gelée, à l'arrière de la maison.

Il devient plus loquace. Il est satisfait de son investigation. Il est convaincu qu'il s'agit de l'oeuvre d'un réseau organisé.

Dollard, le gardien, trempait dans le trafic de la drogue et cachait sa marchandise dans le grenier de la maison de ses parents pendant leur absence en hiver. Lorsqu'il se rend sur appel en visite chez ses parents, des adolescents en profitent pour récupérer le butin sans verser de paiement, il va sans dire.

Seulement, il fallait un spécialiste pour débrancher le système de sécurité mais celui-ci reste en fonction à l'aide d'une pile. Si la sirène n'a pas fonctionné, c'est qu'un expert l'avait déconnectée avant l'infraction avec sa pile d'appoint.

Denise, toute étonnée, ne comprend pas le

désordre et le vandalisme dans la maison. Là encore, le policier déclare que les jeunes voleurs ont eu de la difficulté à trouver la marchandise. Ils ont fouillé partout, mais n'ont rien trouvé. Ce qui les a enragés, c'est pourquoi ils ont détruit. Une satisfaction sadique qui démontre leur désarroi.

Le policier continue. Avec minutie et passion, il raconte le plan élaboré comme s'il y avait participé lui-même. Puis, il s'arrête de parler car la jeune femme ne comprend toujours pas.

Il demeure debout devant elle, attendant la question inévitable : celle qui élucide toute l'affaire.

— Le spécialiste qui a tout combiné, qui est-il finalement?

Le policier la regarde un instant. Il ne veut pas répondre à la question. Le secret professionnel l'y oblige. Mais, d'un air presque généreux, il fait signe de la tête et baisse les yeux, volontairement.

— Le père Vincent vous expliquera!

Il repart aussi calme et aussi rigide qu'à son arrivée. Le mystère s'éclaircit brusquement. Tim Vincent, le petit-fils incarcéré dans une centre de redressement pour juvéniles. Naturellement, tout s'explique de cette façon.

Denise ne passe plus devant la maison de ses parents. Elle préfère attendre leur retour. Elle espère que leur présence et leur compréhension adouciront les souffrances et l'ennui de cette détestable affaire...

LES NUITS DE PHIL BORANIS

Bruno Crépeault

Il fait nuit. Je suis assis au centre de la pièce, genoux repliés sur la poitrine, les entourant de mes bras. Je pense.

Il fait nuit. Mon âme et mon être ne font qu'un, s'unissant l'une à l'autre dans une harmonie parfaite.

Il fait nuit et c'est dans ces moments de ténèbres que je me retrouve à l'intérieur.

Je m'appelle Phil Boranis et je commence ce soir à inscrire ma Vie sur les murs de ma chambre.

C'est avec beaucoup de liberté que je vis en cette nuit du 23 février; je me sens fier d'être seul, mais libre.

Dans ma main tordue, je tiens un crayon bleu et c'est avec celui-là que j'écrirai sur les murs. Il se nomme Liberté. Je l'ai trouvé par terre, dans la ruelle derrière chez moi. Quelqu'un a dû le perdre. Beaucoup de gens perdent leur crayon bleu.

Moi, je le retiens le plus fermement possible. Il semble vouloir s'échapper, s'envoler dans le ciel pour quitter la terre, sa prison à lui.

A moi aussi, parfois.

*

« 23 février.

Je vis, par ma fenêtre, au-dessus de mon lit, une vieille dame. Elle marchait lentement, souffrant d'un mal que j'ignorais, et ses yeux fixaient le sol avec une froideur vide. Sa veste de laine bleu foncé était percée de trous et de déchirures. Son allure courbée portait sa tête blanche vers l'avant, comme un poids lourd et dirigé.

Elle suivait aveuglément la piste de sable qui sillonnait un peu partout dans le parc. Ses pas semblaient difficiles, et devaient bien l'être, finalement.

Je parcourus de mon regard sa totale personne, et ne pus m'empêcher d'éprouver une sensation d'étouffement. La vieille dame marchait vers la Mort, j'en étais sûr.

D'ailleurs nous marchons tous vers la Fin Ultime. Mais elle... qui se déplaçait si lentement... Je m'imaginais facilement la voir en train de courir à pleines jambes vers la tombe, en faisant tournoyer sa canne dans sa main osseuse...

Je me demandai alors si la Mort n'était pas «la» Liberté. Celle qui ne s'enfuie pas, mais qui, au contraire, reste calme et sourde. Tant de maux et de souffrances se terminant par la mort rendent plausible, je crois, mon hypothèse.

Peut-on être libre sans mourir? Moi, je crois l'être. Je fais ce qui m'est possible et quand je le désire. J'écris sur des murs qui ne m'appartiennent pas, je mange ce que moi j'ai décidé de manger. Suis-je libre?

Et la vieille dame était-elle libre, là, marchant péniblement, appuyée sur une canne fendue? Désirait-elle la Liberté offerte par la fin de la Vie?

Je jetai un coup d'oeil vers le parc pour me rendre compte que la dame s'était assise sur un banc. Elle posa sa canne tout près d'elle (cette canne était-elle sa liberté à elle? Peut-être...).

Cette fois, son rictus de souffrance, qui lui brisait le visage lorsqu'elle se déplaçait, disparut subitement.

Un tout jeune enfant s'approcha d'elle, les yeux débordants d'innocence, et lui tendit un petit camion de bois. La dame lui rendit un sourire que je qualifierais de merveilleux, par son air de bonheur et de simplicité.

Elle prit le jouet, le tourna et le retourna,

prenant une mine intriguée, et fit un commentaire à l'enfant, ce qui fit éclater de rire le petit bonhomme.

Et tous deux engagèrent un dialogue que je ne connaîtrai probablement jamais. Mais je ne pourrai non plus oublier ni les yeux de l'enfant, ni le sourire de la dame.

Je compris alors que la Mort était une Liberté. Mais pas celle que tous les gens attendent un jour ou l'autre. La Mort projette une image de Liberté, mais pas celle que regardait la vieille dame.

Elle, sa Liberté, je crois que c'était la Vie. Le court moment où elle pouvait encore se déplacer dans ce parc, rencontrant d'autres vies que la sienne, rencontrant des gens et les aimant.

J'aimai cette vieille femme et l'aimerai toujours. Elle sera toujours libre où qu'elle soit, et je le serai avec elle.

Phil Boranis, 23 février. »

*

Je suis bien d'avoir éternisé tout cela sur le mur. Je croirai maintenant et pour toujours que la Liberté, c'est la Vie, et tous nous l'avons entre les mains. Il faut juste la serrer fort, comme je tiens mon crayon bleu...

LA RENCONTRE

Pierre Faucher

Huit heures trente, un dix-huit juin.
— Tu te lèves, Pierre?
— Oui, quelle heure il est?
— He.... He!
— Merde! Je suis en retard!
— Je t'avais dit de me réveiller plus tôt!
— Je l'ai fait, mais tu as dit que tout était correct.

Faut le faire, le jour de mon anniversaire, être en retard! Ça ressemble à quelqu'un que je connais bien!

Après avoir vaincu les affres d'un réveil brusque et pénible, une pensée m'envahissait : la rencontre. Effectivement, une semaine plus tôt, on m'avait prévenu; le parieur, on se rencontre et pas d'excuse, à cinq heures, ça va être ta fête!

Entre-temps, même après une douche fraîche, je sens que mon corps surtranspire, j'ai les mains moites, les aisselles humides, le front perlant, les cheveux mouillés, même s'ils devraient être secs. Un café, des tremblements, plusieurs visites à la salle de bain; j'ai du leste et je n'en ai pas!

Anxiété ou prémonition, je sens que la journée me réserve des surprises. Eh, vlan! voici la première, on me présente un joli cadeau : un maillot. Quel maillot! Tout noir, mais rayé, rayé vert, mais d'un vert phosphorescent, un vert qui ferait fuir les vers, vert rime ou vert lime, je ne sais pas.

— Essaie-le, essaie-le!

Je n'ai pas le choix, j'enfile le maillot, j'ai l'air d'un lutteur que l'on pourrait appeler « Big Bad Lime ». Pourtant, ma fille trouve qu'il me va à merveille. C'est la seule à qui je vais le montrer, je crois.

Le temps passe. Sans m'en rendre compte,

j'oublie le maillot, j'enfile mes vêtements, grignote un fruit, termine mon café, éteint ma cigarette, habille les enfants. Et hop! on file à la garderie. Chemin faisant, je n'ai qu'une idée : la rencontre.

Au travail, toute la journée, je suis distrait : j'oublie mes clés, me trompe de local, cherche mon cahier de bord, estompe un rendez-vous. Mais, l'obsession continue.

Puis, sur la route, j'ignore pourquoi on a choisi un autre ville pour la rencontre. Par ailleurs, le trajet m'agace, on dirait qu'on a voulu m'intimider, me déconcentrer, me mystifier...

Enfin, cinq heures. J'arrive au lieu de rencontre en même temps que l'autre. Et surtout à l'heure prévue! Un préposé nous accueille, nous dirige vers le lieu du rendez-vous, après avoir franchi un corridor qui semble interminable.

— Je vous en prie, entrez!

L'endroit m'apparaît irréel, je vis la même sensation que lors de ma première compétition de hockey mineur : l'arén a était si grand et vaste, et moi, si petit, ébloui, abasourdi.

Mon opposant ne tarde pas à me provoquer, je sens que l'action ne manquera pas.

— Tu as réussi à être à l'heure. Au moins, un pari que tu gagnes! Maintenant, voyons si tu tiendras le coup...

Immédiatement, chacun se rend à sa place, j'enlève mes vêtements, mon sang bouille dans mes veines, des sensations de picotements me gagnent, la moindre parcelle de ma peau se sensibilise, je suis prêt. Tout à coup, je regarde l'autre furtivement, puis mes yeux s'arrêtent, je fixe le regard et que vois-je? Un sourire narquois, malicieux, mais surtout moqueur; ça m'irrite au plus haut point sans toutefois m'exaspérer. Qu'y a-t-il de si drôle? Mon physique, mon faciès, ma tenue... ma tenue, oh! ma tenue : le maillot, foutu maillot qui me colle de plus en plus au corps, à tel point que je l'avais oublié.

Ce n'est pas un détail comme celui-là qui va m'empêcher d'agir. Sans hésiter, je le harponne, lui prend une prise de cou, lui frictionne le dos, lui parle dans le creux de l'oreille. J'ai le dessus, illusion, la riposte ne se fait pas attendre, j'essuie une prise de cou, un ciseau de corps, volte-face, on retourne de tout bord, tout côté. A mon tour, j'entends sa voix dans le creux de l'oreille, sa main me palpe le visage, l'autre me serre les doigts. La chaleur de son corps et sa proximité m'envahissent, m'anéantissent, je me sens submergé, écrasé, effrondré; cette étreinte va-t-elle me subjuguer? Toujours ce maillot qui embête, il nuit à mes mouvements; si je pouvais me départir d'une partie de ce foutu maillot.

Première étape, je réussis à prendre le dessus, et sans lâcher prise, je parviens à dégager un de mes bras. L'autre demeure lassif et garde poigne. Par un mouvement indescriptible, conservant mon emprise, mon autre bras se libère de l'espèce de corset que m'infligeait le maillot. Je me sens libéré, en pleine possession de mes moyens. Je m'aperçois que l'autre se calme, se laisse vaincre mais sans afficher une mine déçue. Puis, un chuchottement : « Si on faisait une pause! »

— Je veux bien, j'apprécierais aussi, même s'il n'y a pas de vainqueur...

Pour mon anniversaire, j'avais eu droit à un moment d'intimité vraiment particulier, et je savais que le souper serait fantasmagorique. La pièce où avait eu lieu la rencontre révélait un chic et un faste exceptionnel...

LA VOYANTE

Jean Ferguson

En célébrant la messe, ce matin, je me suis aperçu que le printemps était là. Bien sûr d'une façon imperceptible. L'air dans l'église était comme plus léger, ténu : il y avait quelque chose de très doux, de très bon. Dehors, sur le toit du magasin général, j'ai entendu croasser deux ou trois corbeaux freux. Ils avaient l'air de bonne humeur.

Ce n'était pas trop chaud et j'ai eu par deux fois un frisson. Décidément, ces édifices de pierres, même bâtis avec l'amour de nos paroissiens, sont bien difficiles à chauffer.

> «Anges de Dieu, bénissez tous le Seigneur, puissants Esprits créés pour exécuter ses ordres!»

C'est en effet aujourd'hui la fête de saint Gabriel, archange, celui-là même qui a annoncé à la sainte Vierge qu'elle serait le mère de Dieu. Quel homme pétri de chair et d'esprit ne voudrait pas être à la place de cet heureux personnage céleste!

Mais voilà que je divague...

Dans l'assistance, il y avait comme toujours Mélanie, ma bonne servante et Jeannette tout au fond de l'église. Jeannette ne vient jamais à l'avant; elle me répète toujours qu'elle n'est pas digne de se tenir trop près du Seigneur. Je ne partage pas son avis. Je peux même dire que lorsqu'elle est là — et elle manque bien rarement aux offices —, je me sens heureux. C'est une grande grâce d'être heureux pour un prêtre. Je le dois à cette ex-voyante de Val-d'Or.

J'ai été étonné de voir madame Lizia Bolduc. Rares sont mes paroissiens qui assistent à la messe sur semaine. Elle était accompagnée de son fils Zabé, un adolescent de quatorze ans. Il avait l'air si mal à l'aise quand nos regards se sont rencontrés que j'ai tout de suite deviné un drame. Avec les Bolduc, rien ne peut me surprendre.

Après la messe, je me suis rendu à la sacristie et j'avais à peine posé mon étole que la porte s'est ouverte brusquement, livrant passage à Zabé et à sa mère. Le garçon était rouge comme une crête de coq et la mèrre, le visage coléreux, le poussait devant elle avec l'air de vouloir le faire tomber à mes genoux.

Pressentant quelque chose de pénible, j'ai dit :
— Attendez un instant, mes amis, je dois finir mon action de grâces.

J'ai bien pris mon temps. Puis j'ai enlevé mon aube et je l'ai déposée avec minutie sur la table.
— Je suis à vous...

Madame Bolduc a aussitôt commencé :
— Je vous ai amené mon garçons, monsieur le curé, parce que c'est un pécheur. Je voudrais que vous lui lisiez un évangile sur la tête...

Je les ai regardés tous les deux. La mère, petite, vive, au visage ridé, la quarantaine déjà, huit enfants, si je me souviens bien. Le garçon, les yeux baissés, semblait au bord des larmes.
— Et quel est ton crime? ai-je demandé en souriant.

Elle semblait de plus en plus mal à l'aise.

— Vous savez, monsieur le curé, que j'ai quatre garçon. Luc vient juste après Zabé et...

Elle ne continua pas. Pleine d'une colère retenue, elle prit son garçon par les épaules et lui jeta durement:

— Je te laisse seul avec monsieur le curé. Tu lui diras sinon Dieu te réserve une grosse punition!...

Je l'ai interrompue :

— Vous savez bien que Dieu ne punit pas, madame Bolduc. Il aime.

Elle a semblé froissée par mon intervention mais que m'importait? Je ne peux supporter ces chrétiens qui s'arrogent le droit de vie et de mort sur le pauvre pécheur au nom du Créateur.

Elle est sortie et je suis resté seul avec l'adolescent visiblement très gêné.

— Viens.

Je l'ai emmené dans mon petit bureau du presbytère. Il y faisait bon. C'était mieux que la sacristie, où nous grelottons toujours. Je lui ai demandé de s'asseoir et je me suis assis tout près de lui. Je le voyais, à quelques pas de moi. Malgré ses poils follets, je n'ai pu m'empêcher d'admirer la beauté de son jeune visage. C'est encore un enfant! La jeunesse, c'est le plus beau don de Dieu. J'ai deviné sans qu'il parle.

— Tu l'aimes bien ton frère Luc?

Retenant ses pleurs avec peine, il m'a fait signe que oui.

— Et tu aimes resters seul avec lui?

— Oui... a-t-il bredouillé.

J'ai toujours procédé ainsi avec les garçon car je sais leur difficulté. Des parents surchargés d'enfants, trop sévères, prudes, pour qui la chair n'est que source de péché. Je l'ai pris doucement par les épaules. Il a cru que je voulais qu'il se mette à genoux, mais je l'ai retenu délicatement.

Il a commencé d'une voix émue :

— Je viens à vous, mon père, pour confesser mes péchés à Dieu, mon Sauveur et à vous...

Je lui ai mis un doigt sur la bouche avec fermeté.

— Non, Zabé, tu n'as pas péché. Ton jeune frère a besoin de toi. Continue à être son ami, mais tâche d'être plus discret à l'avenir. Comprends-moi bien : tu dois être un exemple pour lui.

Je ne devais pas en dire plus. L'âme des enfants est fragile et l'adolescence, avec ses troubles, ses élans, risque d'ouvrir des blessures inguérissables si on n'y prend pas garde. Je sais que Dieu m'inspire dans ces moments-là.

Zabé a éclaté en sanglots. Je n'ai pu m'empêcher de l'attirer sur mon épaule. Je sais bien que ce n'est pas cela qu'on nous a appris au grand séminaire : il faut toujours garder ses distances avec ses ouailles, mais c'est plus fort que moi, j'aime les contacts et je ne pense pas être pour cela un mauvais prêtre. Ce n'est pas parce que nous faison le voeu de chasteté que nous devons avoir un coeur de pierre!

J'ai aimé l'odeur de ses cheveux et son haleine pleine encore de la fraîcheur de l'enfance. Je bénis Dieu d'être encore capable d'éprouver cette sorte de sentiment. Je connais tant de mes confrères dans le sacerdoce qui vivent dans une rigueur absolue et qui semblent n'éprouver rien du tout. Je juge peut-être. Seigneur, pardonne-moi!

Zabé a pleuré tout son saoul et je sentais ses larmes qui trempaient légèrement ma soutane. Mais ça aussi, ce n'était pas désagréable. Puis, il a relevé la tête.

— Comprends-tu, Zabé, tu es maintenant un homme. Pardonne l'intransigeance et l'incompréhension de ta mère. Va dans la paix du Seigneur.

Il s'est relevé gauchement. J'ai bien compris qu'il ne savait quelle attitude adopter, quelle parole il devait dire.

Je me suis levé aussi et je l'ai raccompagné jusqu'à la porte. J'ai demandé à Mélanie, qui s'affairait déjà à la cuisine pour le petit-déjeuner, d'aller me chercher la mère encore dans l'église.

Elle est entrée presque sur la pointe des pieds pendant que je récitais la prière de discernement afin de trouver les paroles qui l'apaiseraient. Je l'ai fait asseoir en face de moi.

— Madame Bolduc, il ne faut pas que vous donniez trop d'importance à des actes d'enfant...

— Mais, monsieur le curé...

— Je comprends votre désarroi. Pourtant, je vous le demande, au nom de la charité et de l'amour que vous avez pour vos fils, d'oublier tout cela. Zabé est l'aîné de vos garçons, je crois. Vos quatre premiers enfants étaient des filles, n'est-ce pas?

— Oui... Vous savez, monsieur le curé, que j'aurais voulu que Zabé fasse un prêtre, il est si bon à l'école.

— Oui, je sais. Mademoiselle Manseau, l'institutrice, m'en a déjà glissé un mot. Dieu s'en occupera. Il ne faut pas essayer de faire son travail à sa place. Et rappelez-vous que les péchés du corps ne sont rien à côté de ceux de l'âme. Zabé est encore innocent. J'ai peur que par votre insistance déplacée sur un acte isolé, vous ne lui fassiez plus de mal que de bien.

Elle faisait semblant d'accepter mes paroles, mais je devinais, à l'intérieur de moi-même, qu'il n'en était rien. C'est le drame de ces mères qui ont des enfants presque sans le vouloir tellement elles ont de la haine pour leur corps et celui des êtres qui les entourent. Il y en a plus qu'on le pense dans ce beau pays de l'Abitibi.

Qu'espérait-elle au juste, madame Bolduc? Un acte magique par lequel j'aurais fait de Zabé un ange? Ou un archange comme celui que nous célébrions ce matin?

Les jours passent et bientôt, nous serons à la mi-avril. Je ne peux dire comment il est beau ce pays d'Abitibi. Neigeux, pluvieux, austère aussi, avec son ciel si près de la terre, mais ensoleillé comme nulle part ailleurs. Je me souviens, il y a trois ans, quand je suis arrivé à Amos par le train. Quelle impression d'immensité, de grandeur j'ai éprouvée! Pourtant, depuis Québec, jc n'avais vu qu'une ligne rude de sapins et d'épinettes. Mais qu'importe, je suis tombé amoureux de cette région de l'Abitibi, que je ne situais pas très bien à l'époque. Je venais d'être ordonné prêtre à St-Victor-de-Beauce et mon évêque m'avait fait venir le lendemain pour me demander si j'acceptais d'être "prêté" au diocèse d'Amos où il manquait quelques prêtres. J'ai dit oui ainsi que me le prescrit mon saint voeu d'obéissance. J'ai fait mes valises, le coeur un peu serré, il va sans dire, car l'Abitibi me paraissait si loin. Un pays de loups blancs, m'avait-on dit.

Eh bien, depuis que je suis ici, je n'ai pas vu un seul loup ni brun ni blanc! Il est vrai qu'au début, je ne suis pas sorti beaucoup en dehors de la ville d'Amos, où j'ai été nommé vicaire forain.

Puis, en juin dernier, monseigneur Rémi Dumais m'a fait venir dans son bureau.

— Monsieur l'abbé Julien Leblanc, j'ai besoin de vous pour une paroisse difficile...

Monseigneur Dumais, pendant les deux années où j'ai vécu à la cathédrale d'Amos, a toujours tenu ses distances. Aussi, le ton presque amical avec lequel il m'a appris cette nomination m'a quelque peu surpris.

— J'ai eu l'occasion de vous étudier. Je sais que je peux compter sur vous. Vous me paraissez être un jeune prêtre plein de bon sens. (Monseigneur soupira, comme accablé.) Vous en aurez besoin, croyez-moi... Je vous nomme curé de Sainte-Rita-de-l'Abitibi. C'est à peine à soixante milles d'ici. Une paroisse de petits cultivateurs. Une chrétienté sans histoire sauf que... disons que le premier des péchés... oh et puis, je me demande pourquoi je vous dirais cela. Contentez-vous de savoir que Rita est la sainte des causes désespérées. Imaginez-vous que cette fille, née en Ombrie, dans l'Italie du XIVe siècle, avait pour mère une femme de soixante-dix ans. C'est vous dire! Ce n'est pas pour rien que je vous mets en garde...

Je regardais mon évêque avec étonnement. Jamais, en deux ans de présence auprès de lui, ne m'avait-il adressé plus de deux mots. Et voilà que, tout à coup, il me nommait curé et se lançait dans des confidences.

— ... Monsieur le curé Leblanc, car à partir de tout de suite, vous êtes curé de Sainte-Rita, il y a surtout un motif bien précis pour lequel je vous veux dans cette paroisse. Vous me semblez avoir les deux pieds sur terre. Or, à Sainte-Rita demeure une supposée voyante, autrefois de Val-d'Or, cette ville de mineurs, peuplée d'Italiens, de Polonais, d'Ukrainiens et, à l'occasion, de quelques Canadiens-français. Deux ou trois paroisses d'exaltés qui ont eu tôt fait, de 1944 à 1947, de donner aux visions de Jeannette Letondal une publicité qu'elles ne méritaient pas. Car je ne supporterai jamais qu'un saint ou qu'une sainte décide d'apparaître ailleurs que dans ma ville épiscopale d'Amos! Où irions-nous donc si les habitants deu ciel se mettaient à désobéir à un évêque!

J'étais éberlué et je me suis demandé si son Excellence monseigneur Dumais faisait de l'humour ou bien s'il était sérieux. Il termina l'entrevue en me conseillant de lire les archives de l'évêché à propos de l'histoire de cette voyante, Jeannette Letondal. Ce que je fis sur-le-champ avant même de préparer mes valises.

C'est le 14 août 1944, vers quatre heures de l'après-midi, que la petite Jeannette Letondal, âgée de quatorze ans, alors qu'elle cueillait des bleuets tout près de la demeure de ses parents, vit apparaître saint François d'Assise. Dans les archives de l'évêché, j'ai trouvé le témoignage suivant recueilli de la bouche même de la petite voyante.

«Je vis un deuxième soleil venir vers moi dans le sens opposé au vrai soleil. Il était si brillant qu'il m'aveuglait et je mis ma main devant mes yeux. Je vis alors sortir de cette boule de lumière un homme avec une bure franciscaine. Le capuchon ramené sur la tête ne me permettait pas de distinguer son visage. Il semblait flotter dans l'air, en cc sens qu'il ne marchait pas sur le sol. Il s'approcha à quelques pieds de moi. Je remarquai surtout que sa ceinture était faite d'une matière brillante. Sa face était toujours dans l'ombre mais j'aperçus ses lèvres qui me murmuraient : «Jeannette! Jeannette! Je suis venu te dire que tu es une bonne fille. Tu es pieuse; continue de chercher Dieu, mais attends-toi à de grandes souffrances...»

«Puis, il s'en retourna dans la boule lumineuse comme un deuxième soleil qui disparut très vite sur l'horizon...»

Ensuite, les archives précisaient que ce fut la seule apparition, que les foules se précipitèrent pendant des mois là où Jeannette prétendait avoir vu saint François, qu'une statue fut installée à cet endroit qui devint un lieu de pèlerinage malgré la défense de son Excellence monseigneur Dumais. Jeannette entra par la suite dans une communauté de religieuses enseignantes à Senneterre. Quelques mois plus tard, elle dut en sortir à cause de sa santé précaire.

Maintenant âgée de vingt-quatre ans, elle habitait donc Sainte-Rita-de-l'Abitibi depuis quelques années, où elle aidait un couple de vieux cultivateurs sans enfant, les Baillargeon, du rang 3.

J'ai donc pris charge de la paroisse de Sainte-Rita tout en m'interrogeant sur le rôle que m'avait assigné monseigneur. Pourquoi l'Église avait-elle besoin d'exercer une surveillance sur une voyante qui ne faisait plus parler d'elle? Et quel était donc le péché qui salissait tellement cette paroisse?

Bientôt, dans quelques mois, il y aura une année que je suis ici. Nous sommes au printemps 1952 et je suis un jeune curé heureux. Je n'ai pas oublié ma première rencontre avec Jeannette Letondal. Au début, je la voyais chaque matin à la messe. J'ai attendu qu'elle vienne à moi quoique je brûlasse du désir de lui parler. Elle est d'une piété exemplaire et j'ai eu peur de la troubler en provoquant trop vite une rencontre.

Un matin, deux mois après mon arrivée, elle s'est présentée à la sacristie.

— Bonjour, monsieur le curé, commença-t-elle... et, d'une petite voix malicieuse, elle ajouta : je sais que vous avez bien envie de me parler depuis longtemps.

Elle éclata d'un rire d'une fraîcheur et d'une sincérité qui me rassurèrent.

— Inutile de vous nommer, je sais que vous êtes Jeannette...

— ... Letondale et que son Excellence monseigneur Rémi Dumais vous a demandé d'exercer sur moi une surveillance discrète!

La confusion me fit monter le rouge au front mais elle riait toujours.

— Je suis bien aise que vous le preniez sur ce ton.

— Ne vous inquiétez pas, monsieur Leblanc, je ne peux en vouloir à l'Église de s'intéresser à moi, c'est son droit. Et puis, j'aime tellement l'Église que je peux bien lui permettre cette petite intrusion dans ma pauvre vie.

Je l'invitai à venir s'asseoir sur le banc devant le presbytère. En chemin, elle cueillit quelques fleurs qu'elle huma avec délice. Une fois assise, elle tourna vers moi un visage amusé et, pour la première fois, je sentis une lueur espiègle au fond de ses prunelles. Elle était d'une blondeur étonnante... et elle me parut assez jolie.

— Monsieur le curé, quel jour sommes-nous aujourd'hui?

Je consultai ma mémoire : nous étions le 14 août 1951.

— ... Oui, nous sommes à la veille de l'Assomption de la sainte Vierge. Il y a quatre ans aujourd'hui que le bon pape Pie XII a proclamé que Marie, mère de Dieu, a été élevée en corps et en âme à la gloire céleste. N'est-ce pas, monsieur l'abbé, que c'est un beau jour aujourd'hui...

Je l'interrompis doucement.

— Je croyais que vous alliez me parler de vos apparitions de saint François.

En souriant toujours, elle mit son index sur sa bouche en faisant : «Chut!»

Je ne savais que dire pour continuer la conversation.

Nous sommes restés en silence un long moment. Dehors, le soleil d'août jouait dans les rosiers et dans les fleurs que Mélanie, ma brave servante, avait plantées à profusion le printemps d'avant.

Jeannette a tourné vers moi un visage «douloureux».

— Monsieur le curé, si je suis venue dans cette paroisse, c'est que Dieu, dans sa bonté, m'y a menée dans un but précis.

— Lequel, Jeannette? Vous permettez que je vous appelle par votre prénom?

— Bien sûr. Avez-vous remarqué que ce n'est même pas celui d'une grande sainte? Mes parents n'ont pas jugé bon de m'affubler de ces noms si étranges qu'on trouve dans les livres de messe du genre Encratida... De toute façon, je n'ai pas besoin de cette sorte de passeport pour exprimer mon amour pour les habitants du ciel. Je suis si petite devant le Seigneur qu'il fallait que j'aie un prénom comme celui-là...

Puis, nous causâmes de choses et d'autres comme si nous nous étions toujours connus. Naturellement, j'oubliai de demander à Jeannette pourquoi Dieu l'avait envoyée dans cette paroisse...

Ainsi se déroula notre première rencontre. Ensuite, elle prit l'habitude de venir me dire deux mots après la messe.

Je me plaisais en sa présence. Sa vivacité d'esprit, son espièglerie quelquefois, sa grandeur d'âme me réjouissaient au plus haut point.

Je ne tardai pas à faire rapport à mon évêque.

Il me répondit par quelques lignes laconiques en me conseillant d'être discret dans mes rencontres avec Jeannette et surtout, il m'enjoignait de ne pas oublier que Jeannette était presque du même âge que moi et qu'il s'agissait d'une femme. Je me sentis froissé de cette dernière observation quoique j'en admis la justesse. Il est vrai que j'éprouvais du plaisir à la présence de Jeannette et je priais souvent Dieu pour qu'il n'y ait pas entre nous d'autre sentiment que celui d'une pure amitié.

Je sais aujourd'hui que ce ne fut que cela.

En octobre, je ne me souviens plus trop de quelle date, un matin de gel et d'ombre, Jeannette me retint après la messe.

Après quelques paroles sans conséquence, sa voix prit un accent d'une tristesse indéfinissable :

— Si j'ai tenu à vous parler ce matin, c'est que j'ai tellement besoin de vos prières. Les prières d'un prêtre sont si puissantes devant Dieu...

Elle garda le silence un moment avant de continuer sur un ton plein de lassitude :

— ... je suis enceinte, monsieur le curé.

J'eus reçu un coup de masse en plein front que cela ne m'aurait pas fait plus d'effet. Ma surprise n'avait d'égale que mon embarras. Jeannette le comprit car elle me regarda droit dans les yeux avec une franchise et une intensité qui me firent mal.

— ... Vous savez, il n'y a pas de calomnie que l'on n'a pas faite sur mon compte. Une fois, saint François me donna un signe. J'avais quatorze ans, imaginez mon désarroi devant son apparition. J'avais tout raconté à mes parents et aux voisins. J'étais bien naïve à l'époque. Les gens peuvent être d'une méchanceté exemplaire. Ainsi, saint François, pour me rassurer, pour me plaire aussi peut-être, répandit-il dans ma chambre et dans la maison de mes parents une odeur grisante de roses. Ce parfum était accompagné d'un suintement de liquide rougeâtre sur la rampe de l'escalier. Eh bien, savez-vous ce que les gens de l'entourage ont raconté?

Que c'était mon sang menstruel que je répandais ainsi sur les rampes de l'escalier. J'en ai été blessée au delà de tout.. J'ai eu alors l'intuition que c'était une partie des humiliations qu'avait subi Notre Seigneur pendant sa Passion. Tout cela pour sauver quelques pécheurs. Je l'ai perçu ainsi en tout cas. Après ma malheureuse expérience chez les religieuses, je suis venue dans cette paroisse, inspirée par l'amour de Dieu, et j'ai pris en charge deux vieillards seuls qui n'ont que moi au monde.

Elle s'arrêta. Ses paroles ont produit sur moi un sentiment profond de plénitude que je ne sus expliquer que par un amour si brûlant qu'il ne pouvait être qu'un souffle de Dieu. Je sais qu'en tant que prêtre, des moments pareils ne sont pas rares malgré l'indignité dont nous sommes pétris.

Jeannette avait les yeux embués et elle les fixait devant elle. C'était vraiment un bien triste jour de la mi-octobre qui commençait. Elle reprit d'une voix lente, appliquée :

— Il y a de cela six semaines, en pleine nuit, alors que mes deux vieillards dormaient, quelqu'un frappa à la porte. Je suis allée ouvrir. C'était monsieur Léonide Bolduc. Il me demanda la permission d'entrer. Je voulus aller allumer la lampe à pétrole sur la table de la cuisine. Il ne m'en laissa pas le temps. Il se rua sur moi comme une bête enragée... Ce fut un moment d'horreur que ne ne peux vous décrire. Depuis ce jour, je me pose la terrible question : Pourquoi Dieu a-t-il permis encore cette épreuve si épouvantable qu'il n'y a que l'Enfer pour l'imaginer...

Profondément ému, j'ai pris la main de Jeannette dans les miennes. Intérieurement, je me suis dit que si un paroissien ou une paroissienne nous voyait ainsi, il pourrait s'imaginer n'importe quoi, mais je n'en avais cure. Tout ce qui m'importait à ce moment-là, c'était de consoler ce coeur blessé et terriblement blessé.

Elle leva les yeux sur moi, profondément accablée.

— Oui, monsieur le curé. Je sais à présent que je suis enceinte et cette épreuve m'est insupportable. Il me semble que Dieu m'envoie une souffrance au-dessus de mes forces.

Je tenais toujours sa main dans les miennes et je sentis une larme qui tombait dessus. J'avais la gorge nouée. Instinctivement, j'ai demandé à Dieu de m'inspirer les paroles qu'il fallait mais il faut croire que tout ce que j'aurais pu dire n'avait pas d'importance car je ne trouvai rien.

L'automne se confondit à l'hiver. Puis, ce fut naturellement l'arrivée du printemps 1952. L'événement tragique s'est produit au début du mois de mai...

Un matin, vers neuf heures, des hommes sont venus me chrcher :

— Vite, monsieur le curé, grouillez-vous! Un grand malheur vient d'arriver.

Je n'ai même pas pris le temps de demander quoi que ce fût. Je les ai suivis. Ils se sont arrêtés devant la voie ferrée et ils m'ont montré un corps étendu dans l'herbe. C'était celui de Jeannette. Tout près d'elle reposait le cadavre d'un petit bébé. Les yeux pleins de larmes, je me suis approché et... en autant que j'aie pu le constater, on avait arraché l'enfant du ventre de la pauvre Jeannette d'une façon bestiale, violente, car on voyait très bien qu'elle avait été éventrée avec un objet tranchant.

Les hommes m'ont apporté une couverture que j'ai glissée sur le pauvre corps mutilé de la martyr mais je n'ai pas caché son visage. Il y avait une telle sérénité dans es traits que je l'ai laissée ainsi, la face tournée vers Dieu, ce Dieu qu'elle avait si bien servi. Puis, j'ai ondoyé le petit «enfançon» que j'ai déposé ensuite auprès de sa mère. J'ai remarqué qu'il était joli et qu'il ressemblait à Jeannette d'une façon si précise qu'il en était la copie conforme. Je ne sais trop pourquoi un visage s'est superposé à celui de Jeannette : celui de saint François d'Assise bénissant et recevant sa voyante.

En me retournant, j'ai remarqué que Léonide Bolduc me regardait intensément. Je n'ai pas compris pourquoi à cet instant. Je suis rentré au presbytère où j'ai appelé au téléphone la Police Provinciale d'Amos.

Vers quatre heures de l'après-midi, le sergent Bélair a frappé à ma porte alors que je terminais mon bréviaire.

Il n'a pas voulu s'asseoir.

— Je regrette, monsieur le curé, mais on vous accuse du meurtre de Jeannette Letondal et de son enfant.

J'ai été comme assommé. Je n'ai pu dire un mot. Le sergent en a profité pour continuer :

— Nous n'arrêtons pas un prêtre, d'habitude, en semblable cas. Nous laissons à l'évêché la responsabilité de votre personne. Je sais que vous ne quitterez pas cette paroisse. Nous allons continuer notre enquête. Excusez-nous, nous faisons notre devoir...

Il est sorti sans que j'aie pu tenter de me justifier tant j'étais bouleversé.

C'est Mélanie, en pleurant, qui est venue me renseigner.

— Il paraît, monsieur le curé, que Léonide Bolduc vous a vu assassiner Jeannette hier soir. Il a raconté que vous étiez comme fou et qu'une fois après avoir sorti le bébé du ventre de la mère, vous l'avez baptisé. Il répète partout, le maudit Léonide, que c'est votre enfant!...

«Faites, mon Dieu, que ce calice s'éloigne de moi!»

Le lendemain, Mélanie est venue me rapporter que des lys blancs avaient fleuri pendant la nuit au lieu exact du meurtre de Jeannette Letondal et de son enfant...

Hier, 21 juin 1952, j'ai eu ma dernière rencontre avec mon évêque, monseigneur Rémi Dumais.

— Je vous envoie pour quatorze années en pénitence à la Trappe des Cisterciens de Rougemont...

— Monseigneur...

— Oui, je sais, vous n'êtes aucunement responsable de ce crime ignoble, mais aux yeux des paroissiens de Sainte-Rita-de-l'Abitibi, il y aurait toujours un doute même si on réussissait à vous disculper complètement. Il vaut mieux vous sacrifier et laisser un criminel impuni. Vous représentiez et vous représentez l'Église, vous avez été au centre d'un tourbillon qui vous a emporté avec Jeannette Letondal. Je crois maintenant que c'était une sainte et qu'elle intercède maintenant pour l'Église d'Amos auprès de la sainte Vierge qui lui donna le bonheur de la voir. Il vous reste à l'imiter... Aux yeux du monde et de vos ex-paroissiens, vous n'êtes plus rien, mais aux yeux de l'Église, vous êtes la victime choisie, vous êtes le froment broyé sous la dent. Votre seule consolation, c'est de ressembler au Christ dont vous êtes le disciple parfait en qualité de prêtre. Essayez d'être heureux même si vous n'aviez pas choisi le silence et l'oubli. En octobre, vous passerez en jugement devant un juge civil qui vous remettra entre mes mains pour la sentence. Ainsi, je répéterai devant tous que vous expierez pendant des années au fond d'une Trappe.

Monseigneur s'est levé et il m'a tendu la main.

— Vous ne m'en tenez pas rigueur, j'espère?

Je lui ai répondu en embrassant sa bague avec la sincérité du coeur :

— Bien sûr que non! Vous avez été bon pour moi. J'ai eu le bonheur, pendant plus d'une année, de côtoyer une sainte authentique, ce qui n'est pas donné à beaucoup d'hommes sur cette terre. C'est avec l'âme pleine de reconnaissance que je vais à la Trappe. J'aurai l'impression d'être plus près de mon Dieu de cette manière.

Monseigneur est allé devant la grande fenêtre de son bureau. Je l'apercevais de dos mais je sentis qu'il était ému.

— Vous connaissez maintenant le péché de Sainte-Rita?
— Je crois que oui, monseigneur.

Il s'est retourné. Il semblait très affecté. Il s'est approché et humblement s'est mis à genoux devant moi.
— Monsieur l'abbé, vous êtes un vrai prêtre. L'Esprit est sur vous. C'est pourquoi je vous demande de me bénir.
— Monseigneur, je ne suis pas digne...
— Je vous le demande au nom de l'obéissance.

Je l'ai béni de tout coeur. Ensuite, il m'a promis qu'il viendrait me voir à la Trappe une fois par année lors de sa retraite annuelle.

Je suis sorti de l'évêché d'Amos le coeur rempli de cette plénitude que donne l'amour de Dieu et l'obéissance. A la porte, un vieux prêtre ami m'attendait pour me conduire, par le train, jusqu'à la Trappe des Cisterciens de Rougemont.

LA MAISON MYSTÉRIEUSE

Josée Frenette

— Hier, j'ai vu deux hommes y entrer. Ils étaient habillés de noir. Je suis sûre que cette maison n'est pas une maison comme les autres...

En effet, comme elle était bizarre, cette maison! Je ne croyais pas qu'elle pût dissimuler des fantômes; je n'étais plus un bébé. Mais, malgré tout, cette demeure me donnaient des frissons par son aspect lugubre, sinistre. Elle était située près d'un petit bois, derrière l'église, et un chevalement de mine dépassait son toit en pente, à l'anglaise. Il n'y avait jamais de lumière à l'extérieur et les fenêtres étaient voilées par des rideaux en tissu épais et noir.

Une nuit, nous avons décidé de prendre notre courage à deux mains et d'aller voir de près ce qui se passait là-bas. Mes deux compagnons, et moi avons choisi de nous retrouver au coin de la rue près de l'école. A minuit, nous étions tous là. Nous avions menti à nos parents en leur disant que nous couchions dans la tente de Carl. En fait, ce n'était qu'un demi-mensonge puisque, après notre excursion, nous allions effectivement dormir sous cette tente. Donc, nous approchâmes de la maison étrange, les mains moites, le coeur battant. Soudain, un homme sortit et vérifia les alentours. Nous courûmes nous cacher derrière un buisson. Il retourna à l'intérieur et ressortit bientôt suivi de deux hommes à l'aspect de vrais vampires comme nous les avions vus dans les films d'horreur à la télé. Ces deux individus à l'aspect macabre portaient des cercueils! Nous nous frottâmes les yeux pour être bien sûr que nous ne rêvions pas.

Complètement éberlués par ce que nous venions de voir, nous avons décidé de retourner à la tente de Carl. Nous étions convaincu qu'il était inutile d'essayer de dormir. Pourtant, notre jeune âge aidant, nous y parvînmes, mais notre sommeil agité fut troublé par des images affreuses.

Revenus chez nos parents, plus les jours passaient, plus notre angoisse augmentait. Et moi, j'en faisais des cauchemars terribles. Je voyais les deux vampires partout; cela ne pouvait plus durer!

— Écoutez! Je n'en peux plus. Je ne suis plus un bébé; j'ai douze ans et demi. Mais, cette maison me hante jour et nuit. Je me dois de savoir ce qui se passe dans cette baraque! confessa Carl.

— C'est pareil pour moi. Je fais des cauchemars horribles depuis cette fameuse nuit, ajoutai-je.

Les garçons laissèrent leur fierté de côté pour une fois et ils avouèrent qu'eux aussi avaient la trouille. On décida pourtant d'aller faire un tour du côté de la maison, en plein jour, cette fois-ci.

Nous avons choisi un samedi après-midi ensoleillé. Munis de tablettes à feuilles et de crayons, nous nous sommes rendus devant la demeure énigmatique. En tremblant, je frappai à la porte. Après quelques secondes qui parurent une éternité, un homme ouvrit. Il était chauve, portait des lunettes et semblait vraiment mystérieux.

— Heu... J'aimerais savoir combien de personnes habitent cette maison... C'est pour un sondage à l'école, balbutia Carl d'une voix tremblante.

L'homme nous regarda un après l'autre et il nous fit signe d'entrer à l'intérieur. Après beaucoup d'hésitation, j'avançai. Les deux autres me suivirent. La pièce où nous pénétrâmes était tellement sombre qu'on avait à peine à voir à deux pas.

— Avez-vous déjà regardé des films d'horreur... de près? demanda l'homme, d'un air à faire peur au plus brave des enfants.

Je sentis mon propre petit coeur battre à se rompre.

— Voyez-vous, aucune personne n'habite ici vraiment,

ajouta-t-il, avec un léger sourire devant notre émoi. C'est qu'il s'agit d'un studio de production. C'est ici que l'on produit les plus effrayants films d'horreur. Des boîtes et des boîtes de sauce tomate pour imiter le sang qui coule dans les escaliers!... Allez, venez, je ne vous mangerai pas!

Il nous fit visiter le studio au complet et nous présenta même les deux vampires qui nous avaient fait si peur pendant un certain temps!

Au moment de repartir, l'homme, devenu assez sympathique et pas méchant du tout, nous invita à revenir aussi souvent que nous le voulions.

Quelques mois plus tard, le studio déménagea quelque part ailleurs. Quant à la maison, vide désormais, nous avons souvent pensé, tout au cours de notre adolescence qu'il aurait peut-être été utile d'aller y faire un tour pour mettre à jour nos fiches de sondage au cas où...

UN COEUR DE MERE

Gaby Des Groseilliers

On entend souvent parler de viol de nos jours. Heureusement, les attitudes ont sensiblement changé à ce sujet depuis une génération. Il le fallait, car dans le passé, un passé pas si lointain, la femme violentée n'avait aucun recours et devenue un objet de dérision, n'avait souvent même pas l'aide de sa famille, surtout dans les petites paroisses si catholiques du Québec. La fille enceinte était rejetée de sa famille ou lancée seule dans la vie pour voler de ses propres ailes, ou encore, si ces proches pouvaient se le permettre, ils lui faisaient épouser celui-là même qui l'avait violée. De toute façon, la femme de ce temps n'avait pas le choix. Laissée à ses propres moyens, elle pouvait quelquefois trouver refuge à la crèche où elle laissait son enfant pour adoption, ou bien, se faire avorter par un médecin incompétent ou par une sage-femme guère plus capable et ce, dans une maison louche. Et peut-être aussi finissait-elle comme prostituée. Son avenir dépendait de la décision du père de famille, son propre père. C'était son honneur à lui qui comptait, sa fille faisant partie de son cheptel.

Ce fut le cas pour Angèle. Fille de fermier, à treize ans, elle avait déjà sa taille de petite femme du fait qu'elle faisait tant de gros ouvrages sur la ferme.

La vie était dure. Son père, comme tant d'autres colons, était parti de la ville pendant la Dépression pour venir s'établir sur un lot de colon dans le Nord et il arrachait, de peine et de misère, de ce sol aride, une existence des plus précaires. Sa femme, épuisée par des grossesses annuelles, ne pouvait plus l'aider sur la terre et il devait plutôt compter sur l'aide de ses quatorze enfants pour lui prêter main-forte.

Angèle était la deuxième de la famille. Malheureusement, pour le père, les dix premiers enfants avaient été des filles; mais faisant contre mauvaise fortune bon coeur, elles apprirent en très bas âge à faire l'ouvrage dévolu aux garçons sur une ferme.

Le père, dépité de tant de filles, était brutal et taciturne. Malgré la vaillance de sa progéniture, il restait qu'elles n'étaient pas de taille pour certains travaux; ainsi devait-il, comme au temps des foins par exemple, demander une corvée dans le rang pour tenir le coup.

Il avait bien, à l'automne précédent, ramassé un vagabond nommé Willie qui, en échange du gîte et du couvert, lui donnait l'assistance de ses bras. Le bonhomme d'une quarantaine d'années était un bon travailleur à ses heures, mais voyait-il une bouteille de boisson, c'en était fini du travail pour quelques semaines. C'est pourquoi le cultivateur, monsieur Lebrun, avait l'intention de se débarrasser de Willie après les semailles, car il ne pouvait pas vraiment compter sur lui. Mais, comme le veut le dicton : « L'homme propose et Dieu dispose »!

Au début de juin, il y eut noces au village. La famille Lebrun comme toutes les autres du rang fut invitée. Comme à l'accoutumée lorsqu'il s'agissait de fête populaire, monsieur Lebrun s'y rendit seul, sa femme étant toujours trop fatiguée pour le suivre et ses enfants trop jeunes pour ce genre de divertissement.

Willie voulut y aller lui aussi, même s'il n'avait pas d'invitation personnelle. Il saurait bien se faufiler parmi les invités car la boisson coulerait à flot et serait gratuite. Une fois rendu, il s'empressa d'ingurgiter autant de boisson que possible dans le plus court temps. Quand monsieur Lebrun l'aperçut, il était déjà ivre et titubait partout. On le reconduisît, pas trop poliment, à la porte avec le conseil de ne plus revenir.

Willie, une fois saoul, avait mauvais caractère. Il

revint donc contre son gré en maugréant à la ferme, enragé du fait que monsieur Lebrun avait interrompu sa beuverie. Sans son patron, il pensait qu'il aurait pu passer la veillée à boire le fameux «caribou» des colons offert à la noce.

Il se rendit à la grange où il couchait quand il tomba sur Angèle qui finissait de traire les vaches. Émoustillé par son ivresse, il lui fit des avances. Angèle ne put s'empêcher d'en rire et, en enfant, se moqua de lui. C'en fut trop pour Willie : d'abord, le père l'avait fait mettre à la porte où l'on fêtait, et maintenant la fille qui se gaussait de lui, ajoutant à l'insulte! Il ne put se contenir. En colère, il se rua sur la jeune fille et la prit de force, sur un tas de paille. Elle eut beau se débattre et appeler à l'aide, il était plus fort qu'elle et personne ne l'entendit. Sa passion assouvie, il la lâcha et s'endormit du profond sommeil de l'ivrogne.

Angèle, désespérée, les vêtements déchirés, se précipita vers la maison et sa mère. Madame Lebrun ne put faire face à une telle situation. Au lieu d'aider et de consoler Angèle dans ce moment si terrible pour elle, elle s'évanouit. C'est Angèle et ses soeurs qui transportèrent leur mère sur son lit. Puis Angèle qui ne pouvait compter sur personne, s'enferma dans sa chambre.

Madame Lebrun, revenue à elle, oubliant le traumatisme qu'avait subi sa fille, ne pensa qu'à l'effet du drame sur son mari. Il était si fier! Elle attendit son retour de la fête et dès qu'il fût là, elle lui raconta en larmoyant ce qui était arrivé à Angèle. Comme il avait pris un coup plutôt fort aux noces, sa réaction fut très vive et typique des hommes dans son genre. Ce n'est jamais Adam le coupable, c'est toujours Eve la provocatrice!

— Où est-elle, la polissonne, que je lui donne une leçon! Elle doit l'avoir aguiché! On va rire de moi au village!...

Courroucé, l'ébriété aidant, il monta à la chambre des filles et sans frapper entra en invectivant la pauvre Angèle.

— Tu te l'as attiré, garce de garce! Depuis combien de temps tournes-tu autour de lui? Et dire que tu es ma fille! Qu'est-ce que les gens vont dire si tu deviens enceinte? Que je n'ai pas su t'élever comme il faut, espèce de bonne à rien!

Et les gifles et les coups se mirent à pleuvoir sur Angèle malgré ses pleurs et ses dénégations. C'était la façon de Lebrun-père de laisser sortir ses émotions trop longtemps refoulées, nées de sa rancoeur envers sa femme et les trop nombreuses filles qu'elle lui avait données. Angèle, à treize ans, se heurtait à la brutalité d'une société qui pardonnait tout à l'homme en rejetant les torts sur la femme. Toujours Adam qui blâme Eve pour son propre manque de volonté.

Monsieur Lebrun, son défoulement terminé, satisfait de lui-même, descendit à la cuisine où sa femme l'attendait.

— Qu'est-ce qu'on va faire maintenant? demanda-t-elle timidement.

Elle le craignait trop pour s'interposer entre lui et sa fille, bien que son coeur saignait pour Angèle à cause de ce qui lui était arrivé et les mauvais traitements qu'elle avait dû subir là où elle aurait eu tant besoin de tendresse et de compréhension. Madame Lebrun, tout comme son époux d'ailleurs, n'était pas versée dans la psychologie.

— Il la voulait. Eh bien maintenant, il va la garder et la marier, grommela-t-il, ou je le tue! Et je vais aller le lui dire tout de suite!...

Il sortit d'un pas décidé en passant par le hangar où pendait son fusil de chasse.

Dans la grange, Willie se réveilla en sursaut, pas tout à fait dégrisé. Quelque chose de froid l'avait touché. Il ouvrit grand les yeux pour apercevoir le canon d'un fusil braqué sur sa joue. Alors tout lui revint en mémoire et il pâlit affreusement.

— De grâce! S'il vous plaît, monsieur Lebrun! J'étais chaud! Je ne lui voulais aucun mal; je me suis laissé emporter... vous ... la boisson... et puis, vous pouvez comprendre ça, vous êtes un homme... Quand je l'ai vue là...

Monsieur Lebrun ne lui laissa pas le temps de terminer. Il ne dit qu'une chose et c'était un commandement, non une demande.

— C'est fait, donc tu vas la marier.

— ... Moi? Mais, monsieur Lebrun...

— Es-tu marié?

— Non... mais j'ai quarante-deux ans... et ... la petite...

— Alors, il n'y a pas de problème. Tu vas la marier et tout de suite à part ça! As-tu bien compris?

Ah, que oui, Willie saisissait très bien que monsieur Lebrun n'était pas d'humeur à être contredit et qu'il le tenait toujours en joue!

— Oui, monsieur Lebrun, je comprends.

— Ce soir, tu viens coucher à la maison. Je serai plus sûr de toi. Demain, nous irons ensemble voir le curé.

— C'est correct, monsieur Lebrun, dit piteusement l'homme.

Son sort à lui aussi venait d'être décidé. Pour ce qui lui semblait une bagatelle, il était pris pour la vie. Il savait que dans ce coin reculé de la province, la justice était administrée sommairement. Fini le vagabondage sur les routes, finie la liberté de partir d'une maison, d'un village quand il en aurait envie. Il avait été pris au jeu et il devait maintenant payer la note.

A tout prendre, ce n'était pas si terrible que ça. Une fois marié, il aurait un endroit définitif où vivre; il resterait à la ferme Lebrun, mais cette fois comme membre de la famille. Et puis, Angèle était assez jolie et forte. Elle lui ferait une bonne femme à lui dont personne jusqu'ici n'avait voulu. C'était finalement un bien pour un mal.

Lebrun retourna à la maison avec Willie satisfait de sa décision. C'était la seule manière de résoudre le problème d'une fille tombée. De plus, il avait trop de filles : une de casée ferait du bien. Dommage que c'était

Angèle; elle était si travailleuse. Il ne pensa même pas s'il devait demander à Angèle ce qu'elle pensait d'épouser Willie. Ça ne regardait que lui, le maître de la maison. Il se targuait d'avoir accompli son devoir de père.

Pendant l'absence de son mari, madame Lebrun était montée à la chambre d'Angèle. Elle chercha à consoler sa fille à sa façon. Cette dernière pleurait encore et gémissait de la raclée administrée par son père. Elle se savait innocente et elle avait dû subir cette injure d'être accusée à tort et battue!

— Je sais. C'est dur d'être femme, lui dit sa mère, et ton père est tellement fâché. Mais ne pleure plus, il va tout arranger. Willie va te marier.

— Non, non! s'écria Angèle, remplie d'horreur, je ne veux pas le marier; je ne veux plus le voir! Je le hais, je le hais!

Pour la mère, c'était jeter du sel sur la plaie que d'entendre les protestations indignées de son enfant.

— Oui, je sais. C'est pénible, dit-elle, c'est dur, mais ma pauvre fille, qu'est-ce que tu veux? On n'a pas le choix. Il le faut.

— Non, non! je ne veux pas! sanglota Angèle.

— T'as pas le choix, ma pauvre, c'est déjà décidé. Ton père a déjà décidé. C'est la seule chose à faire dans ton cas. Car ton père ne te garderait pas à la maison maintenant. Ça se saurait et tu ne pourrais trouver à te marier par ici. Et puis, ton père et nous, ta famille, on aurait honte à l'église parce qu'on nous montrerait du doigt. Non, ma fille, tu n'as pas le choix; il faut que tu passes par là.

Angèle pleurait toujours. On est encore enfant à treize ans même si on est femme.

— Je ne veux pas! Je ne veux pas me marier! Je ne veux pas me marier!

La mère ne put que redire :

— C'est pas si pire que ça. Tu vas voir, ça va s'arranger. Ton père va voir à tout.

Il le fallait bien car si Angèle devenait enceinte, il n'y avait pas d'autre solution. On ne parlait pas d'avortement à cette époque-là. Ne sachant plus quoi dire à sa fille pour la consoler, madame Lebrun sortit de la chambre tristement. Elle connaissait trop bien son mari pour songer un seul instant à contrecarrer ses plans. Et puis, se dit-elle, Willie n'était pas si pire que ça. Il était un peu âgé pour Angèle, mais il était bon travailleur quand il n'était pas en boisson.

Le lendemain, monsieur Lebrun et Willie prirent le chemin du village. Monsieur le curé en avait entendu d'autres et il devina le drame, mais ne fit aucune objection au mariage d'une fillette de treize ans avec un ivrogne de plus de quarante ans. Un commandement de Dieu avait été transgressé. Il ne demanda même pas à voir Angèle. C'était la prérogative du père de donner sa fille à qui il voulait bien. Et si ça pressait pour le mariage et qu'il était prêt à payer pour les bans, ce n'était pas à lui de juger.

Monsieur Lebrun avait décidé. Angèle se marierait dans une semaine bien simplement et partirait avec son mari s'établir en Ontario, non loin de sa tante, la soeur de monsieur Lebrun. Willie eut un mouvement de surprise qui n'échappa pas au curé quand il entendit son futur beau-père décider pour lui son départ de la région. Le curé n'ouvrit pas la bouche, mais il se rendit bien compte que Willie croyait pouvoir demeurer chez les Lebrun. A lui maintenant de mettre de l'eau dans son vin!

La veille, monsieur Lebrun avait réfléchi et avait décidé d'envoyer son déshonneur, comme il appelait dorénavant Angèle, le plus loin possible. Ainsi avait-il pensé à sa soeur demeurant en Ontario. Angèle pourrait arriver là en inconnue et commencer sa vie. Il se disait intérieurement qu'il faisait cela pour elle et non pour lui-même. Il avait tout juste le temps d'écrire à sa soeur et d'annoncer l'arrivée des nouveaux mariés.

Angèle fut confinée à sa chambre jusqu'à la

cérémonie du mariage. Sa mère lui prépara un maigre trousseau; ils n'étaient pas riches, mais elle voulait quand même lui donner quelque chose. Elle comprenait qu'Angèle n'était pas coupable et qu'elle était malheureuse, mais elle ne pouvait rien contre les idées arrêtées de son mari, donc c'était mieux qu'Angèle parte parce que son père ne voulait plus la voir.

La messe de mariage eut lieu très tôt le matin, tout de suite après l'Angélus. Le curé bénit l'union éternelle de deux personnes forcées de s'unir contre leur gré. Puis, monsieur Lebrun, après les signatures d'usage à la sacristie, conduisit sa fille et son nouveau gendre à la ville le plus proche où ils purent prendre le train pour l'Ontario. Il serra la main de son gendre, ne dit rien à sa fille et attendit de les voir monter dans le wagon et la locomotive s'ébranla. Avant de quitter les lieux, satisfait d'avoir accompli son devoir de père et d'avoir sauvé l'honneur de la famille, monsieur Lebrun reprit le chemin de la maison.

La nouvelle vie d'Angèle commençait. Elle apportait une lettre pour sa tante qu'elle ne connaissait pas. Willie, lui, qui n'avait pas revu Angèle depuis le viol et ne s'était retrouvé à ses côtés qu'à la messe du mariage ce matin-là se sentait plutôt penaud. Puisqu'il devait passer sa vie avec cette enfant devenue femme trop vite, il chercherait à l'amadouer. Angèle, assise sur la banquette près de la fenêtre, regardait le paysage défiler sans le voir et restait silencieuse. Son coeur était trop gros. Elle se savait captive, coincée par cette société sans humanité. Elle gardait en mémoire les derniers conseils de sa mère : « Nous autres, les femmes, faut savoir endurer. Tiens-le loin de la boisson et fais attention avec lui. Ça devrait s'arranger entre vous deux. Peut-être n'auras-tu pas d'enfant tout de suite... » Angèle se souvenait surtout des injures et de la rossée de son père, alors qu'elle se savait innocente. « Pourquoi? Pourquoi quand on n'a rien fait de mal, quand on est victime? » Willie choisit ce moment pour s'approcher d'elle et dire en badinant avec une certaine gaucherie :

— Je t'aime bien, tu sais; et là-bas, où nous allons, ta tante ne sait rien. Alors, on peut passer pour des amoureux, tu ne crois pas?

Il cherchait la paix à sa manière. Elle ne répondit pas mais leva sur lui ses grands yeux noirs intenses. Il eut peur de la haine qu'il y vit, la haine d'esclave captive qui ronge son frein. Il décida que c'était peut-être trop tôt; mieux valait attendre un peu que la petite oublie. Ils seraient sur le train un bon trente-six heures avant de rejoindre la parenté de sa jeune épouse. D'ici là, on verrait; il y avait assez de temps pour s'entendre.

Il se leva et marcha dans le couloir, et d'un wagon à l'autre, cherchant dans son esprit à se disculper. Après tout, il l'avait bien mariée. Il savait qu'on l'y avait forcé, mais il s'était quand même mis la corde au cou, lui qui aimait tant la liberté et qui fuyait les responsabilités; et puis, il était ivre quand il l'avait prise alors qu'il voulait surtout se venger de Lebrun. Pour qui se prenait-elle cette enfant de treize ans pour lui en vouloir? Elle n'aurait probablement pas trouvé à se marier dans le rang. Pourquoi se sentait-il coupable alors qu'il lui avait fait une faveur en l'épousant? Oui, pour qui se prenait-elle? C'était lui le «boss» maintenant et elle était mieux de se soumettre docilement. Elle verrait bien de quel bois il se chauffait. Il revint à sa place d'un pas alerte et décidé. Devant la banquette, il lui dit du maître qui n'admet pas la réplique :

— Où est le lunch? J'ai faim. Sers-moi!

Il aurait voulu qu'elle réplique pour qu'il puisse affirmer immédiatement son autorité. Mais elle lui fit échec. Elle sortit la nourriture et la mit sur la valise en face de lui. Elle ne dit mot. Il aurait préféré des injures à ce mutisme rigoureux. Ils mangèrent en silence et le voyage se passa ainsi. Elle ne lui adressait la parole que lorsqu'il était impossible de faire autrement.

La tante ontarienne avait reçu deux lettres : l'une de son frère lui annonçant la venue de sa fille nouvellement mariée et demandant si le beau-frère pourrait aider le Willie à se trouver du travail; l'autre lettre de sa belle-soeur qui disait avoir écrit en cachette. Elle l'enjoignait de ne pas laisser son frère savoir qu'elle avait écrit. Elle lui racontait tout le drame, l'implorant de veiller sur sa fille, car elle n'avait rien pu faire, son mari étant si violent. Elle la suppliait surtout de voir à ce que Willie ne prenne pas un verre, surtout au début, jusqu'à ce qu'Angèle s'apprivoise et accepte son sort.

La tante, elle, était heureusement mariée à un homme compréhensif pour qui elle n'avait pas de secret. Une seule ombre au tableau : ils n'avaient jamais eu d'enfant. Elle lui passa tout simplement les deux lettres. A la lecture, il jura, une chose qu'il faisait rarement.

— Mais qu'est-ce qu'il a fait là, l'imbécile! tempêta-t-il.

— Pour le bien de la petite, dit sa femme, il ne faut pas t'emporter. Mon frère a mal agi mais c'est chose faite. A nous de chercher à les aider. Nous ferons comme si nous ne savions rien...

— Ce sera difficile, admit l'homme.

— Il faut essayer, reprit la tante, c'est ce qu'il y a de mieux à faire.

Les lettres précédaient les nouveaux mariés de quarante-huit heures. Ils mirent tout en branle pour leur préparer une place et un accueil cordial. Ils décidèrent aussi de prendre Willie sur leur propre ferme afin de le garder à l'oeil pour l'empêcher de tomber dans ses ivrogneries occasionnelles. Ils firent disparaître toutes les bouteilles qu'ils avaient à la maison.

Angèle se demandait comment seraient son oncle Jasper et sa tante Lucille. Son père appelait son oncle «Jasper, l'étranger» parce qu'il était originaire des États-Unis et qu'il n'avait pas la même mentalité que les membres de la famille Lebrun.

L'oncle et la tante dépistèrent vite le couple à leur descente du train. Ils étaient plutôt las et leurs vêtements étaient on ne peut plus froissés après un si long voyage en classe commune. On aurait vraiment dit le père et la fille si on n'avait pas été au courant de la situation. Tante Lucille en fut très touchée. Elle s'avança le sourire aux lèvres en lui tendant les bras.

— Angèle! s'écria-t-elle.

A ce signe d'amitié, la petite courut se serrer contre elle et se mit à pleurer. Jasper, avec un contrôle parfait, arriva la main tendue, ce qui mit Willie à l'aise. « Il ne sait rien de l'histoire » pensa-t-il, soulagé, et pour expliquer les larmes de sa jeune épouse, il crut bon de dire :

— C'est l'émotion de vous voir pour la première fois et la fatigue du voyage...

— C'est compréhensible et bien naturel, dit Jasper. Bienvenue à Leerbay!

La voiture attendait, le cheval était fringant, on repartit vers la ferme de l'oncle. Les deux femmes à l'arrière ne parlaient pas, mais la tante Lucille tenait la main d'Angèle. Cette dernière se sentit comprise. Les deux hommes assis à l'avant devisaient tranquillement :

— Elle est grande votre terre? demanda Willie.

— Deux cents arpents, répondit Jasper, mais si j'avais de l'aide, je prendrais la terre voisine qui est abandonnée.

— Vos enfants ne vous donnent pas un coup de main?

— Je n'ai pas d'enfant. Mais toi, que comptes-tu faire? Retourneras-tu chez ton beau-père après ce voyage?

Il ne pouvait dire «lune de miel»; ces mots refusaient de sortir de sa bouche.

— Non, maintenant que je suis marié, il faut que je me place les pieds par moi-même. Y a-t-il des fermes à vendre aux alentours? Pas trop chères, pour lesquelles on ne demande pas trop de comptant à l'achat.

— Écoute, si je peux t'aider, j'ai une proposition à te faire. Tu es de la famille maintenant, tu pourrais prendre la terre voisine de la mienne, celle dont je t'ai parlé, si tu n'as pas d'argent, je pourrais t'en avancer.

Willie mordit à l'hameçon. Le plan élaboré par Jasper fonctionnait : Angèle pourrait demeurer près de sa tante tandis que lui pourrait tenir Willie à l'oeil.

— En attendant de te construire, tu peux toujours rester chez nous. La maison est grande. Tu me payeras par du travail, si ça te convient.

Willie était heureux. Il croyait avoir tout combiné cela lui-même. Il raconterait cet heureux dénouement à leur situation à Angèle. Il était sûr de redorer son blason. La journée se passa très bien. Les hommes allèrent voir la terre dont il avait été question tandis que les femmes se comprirent très vite.

Quand Willie, plein de lui-même, révéla ce soir-là à Angèle qu'il avait décidé de demeurer à Leerbay et de s'acheter une terre, elle ne lui dit rien mais elle était très heureuse de voir que l'effort de sa tante avait porté fruit. Elle n'éleva pas de protestation quand son mari décida de lui faire subir sa domination maritale. Cela faisait aussi partie de son sort.

Le temps passa très vite. Willie se mit à l'ouvrage et défricha un bon lopin de terre. Ensuite, il construisit une petite maison de bois rond avec l'aide de Jasper. Celui-ci le surveillait avec vigilance et quand Willie revenait de la ville un peu trop éméché, il voyait à ce qu'il ne trouble pas la paix qui régnait dans le jeune ménage. Willie craignait Jasper à qui il devait tout, jusqu'au bail de sa ferme. Entre Willie et sa jeune épouse, la guerre froide continua jusqu'à ce qu'Angèle fut enceinte. Alors la trève se fit.

La tante Lucille aida beaucoup sa nièce à passer à travers la colère sourde qui grondait en elle contre cet être en elle qui demandait à vivre, à travers la peur de ce qui les attendait, elle et l'enfant presque détesté, l'enfant qui, à ses yeux, était le résultat d'un acte abominable; cet enfant non voulu qui l'avait du jour au lendemain rendue mature et avait clos son destin d'une manière irrémédiable.

Quand vint le temps d'enfanter, elle se rendit chez sa tante. A quatorze ans, elle-même encore un enfant, elle mit au monde son fils premier-né. Il n'y avait pas de docteur, sa tante lui servit de sage-femme. Quand le travail fut terminé et qu'Angèle entendit les cris du nouveau-né, elle était trop exangue pour réagir, car l'accouchement avait été pénible. Elle s'assoupit. A son réveil, sa tante veillait. Elle tenait l'enfant dans ses bras. Elle l'approcha doucement d'Angèle.

— C'est un garçon. Veux-tu le voir? demanda-t-elle délicatement. Elle ne fit aucune pression. A la vue de ce petit être sorti d'elle-même, l'amour maternel se réveilla au fond de son coeur. Elle oublia tout ce qui avait précédé. Elle tendit les bras, prit son enfant, le regarda tendrement et le serra longuement contre elle-même.

— C'est à moi, murmura-t-elle, c'est à moi...

Elle l'éloigna un peu au bout de ses bras, l'étudiant d'un oeil attendri, triste et serein à la fois. Elle leva la tête, se tourna vers sa tante qui lui souriait doucement :

— Lui, il sera un homme, un vrai. Il saura respecter les femmes, j'y verrai!

Elle se mit à bercer lentement son petit homme...

LE SÉJOUR DE JEAN FERGUSON SUR ACTORIA

Jacques Grignon

En ce matin du 23 juillet 1989, Jean Ferguson, au volant d'une petite automobile européenne, roulait rapidement. Il voulait arriver tôt à son appartement situé sur le deuxième avenue, à Val-d'Or. Parti de La Sarre à sept heures, il voulait éviter la chaleur torride qui ne manquerait pas, il le savait, de le fatiguer au plus haut point. Il se disait que chez lui, au moins, le thermomètre ne dépasserait pas les vingt degrés. Ceci est peut-être le seul avantage relié au fait d'avoir un appartement situé dans un sous-sol, mais c'est valable. Ses pensées continuaient à affluer à vive allure sans former d'idées précises; elles arrivaient pêle-mêle et Jean sourit en pensant à tout ce qui lui passait par la tête.

Après avoir dépassé Saint-Benoît, en direction de Vassan, le moteur de sa voiture cala et c'est en maugréant qu'il sortit de l'auto pour aller voir ce qui n'allait pas. Il souleva le capot, mais ne vit rien de suspect. Il y avait le moteur, beaucoup d'accessoires et des fils, mais il ne connaissait rien en mécanique; il prit la décision d'attendre que quelqu'un passe en espérant que le délai serait de courte durée. Il s'assit sur l'accotement où il prit une brindille de foin qu'il s'acharna à découper avec ses dents en la mordillant.

Un léger sifflement suivi, après quelques minutes, d'un bruit de pas dans la forêt toute proche, attirèrent son attention. Il se dit qu'avec la chaleur, déjà insupportable, il pouvait se permettre d'aller voir ce qui se passait. Il traversa le fossé, se rendit à l'orée du bois et, après avoir écouté pendant quelques instants, se dirigea en direction du bruit qu'il situait dans la direction nord-ouest. Il s'était avancé d'une vingtaine de mètres lorsqu'il s'arrêta brusquement devant cette chose qu'il prit tout d'abord pour un mirage. Il se frotta les yeux et regarda de tous côtés avant de se rendre à l'évidence que tout cela était bien réel. Il en fut estomaqué.

Devant lui, dans une petite clairière, il y avait... oui, c'était bien un OVNI. Tout près, quelques... personnes le regardaient en souriant. Il se rendit compte qu'un autre de ces êtres était sur sa gauche. Ils étaient trois. Il s'approcha lentement, ne sachant que faire; il ne pouvait même pas parler tellement sa surprise était grande. Il fut tout ébahi de s'entendre interpeller en français, par son nom, par un des membres de l'équipe. Celui-ci avait une taille de 1,90 mètre, élancé, de beaux traits et était vêtu d'une combinaison jaune comme ses coéquipiers. Tous avaient les cheveux coupés courts, les yeux bleus et le regard franc. Jean Ferguson se sentit bien en leur présence. Il comprit rapidement qu'ils étaient pacifiques. Tout, dans leur attitude, était empreint de respect et d'amour envers toutes les manifestations de vie. Même les moustiques, pourtant nombreux, semblaient répondre à leur présence. Ils ne s'approchaient pas à plus d'un mètre de ces êtres merveilleux. Les fleurs sauvages semblaient plus éclatantes, même le sous-bois donnait l'impression d'être habité par un être merveilleux bien qu'invisible. Jean Ferguson se reprit rapidement en main et il se dit que son imagination avait toujours été trop fertile.

Celui qui semblait être le commandant parlait et Jean dut se faire violence pour se concentrer sur les paroles qu'il disait. C'est d'une voix douce qu'il présenta les membres de la mission comme il disait. Il y avait Albar et Josuel.

— Mon nom est Ratuel, dit-il. Bien que vous n'en soyez pas conscient, nous nous sommes rencontrés de nombreuses fois et ce, depuis plusieurs années. Nous sommes d'ailleurs à l'origine des recherches que vous avez faites sur l'existence d'êtres provenant d'endroits extérieurs à votre système planétaire et aussi à la Terre. Nous vous savons gré pour le travail que vous avez accompli. Vous savez, Jean, nous vous avons incité à faire le voyage à La Sarre pour des raisons que vous comprendrez bientôt. Depuis déjà cinq mois, nous vous envoyons des messages télépathiques pour que vous acceptiez le rendez-vous d'aujourd'hui, et ce, dans le but de vous rencontrer à l'état d'éveil pour vous faire une proposition qui devrait vous intéresser. Nos rencontres antérieures avaient toujours lieu pendant votre sommeil lorsque vous rêviez. Vous avez à maintes reprises fait le voyage, par l'astral, jusque chez nous, sur notre planète. D'ailleurs, vous êtes originaire de notre monde et, il y a plusieurs siècles, vous avez décidé de venir transmettre à nos frères de la Terre une partie de nos connaissances dans l'unique dessein d'aider. Aujourd'hui, après vous avoir guidé jusqu'à nous par télépathie, nous avons fait en sorte que votre automobile s'arrête au bon endroit pour vous proposer un voyage qui permettra à votre Etre intérieur de vous toucher afin que vous compreniez bien ce qui est attendu de vous. Sur la terre, on dit la mission que vous aviez choisie jadis. Je voudrais que vous compreniez bien que vous êtes libre. Si vous déclinez cette offre, vous pouvez monter à bord de votre voiture et retourner chez vous. Si vous acceptez de vivre cette expérience, nous mettrons votre voiture en lieu sûr et vous serez absent pendant quelques jours. Pensez-y maintenant et donnez-nous votre réponse. Soyez convaincu que votre décision sera respectée. Je vois que vous êtes prêt, mais que vous pensez à vos chats que vous avez laissés dans votre appartement et qui, probablement, vous attendent... Ne soyez pas inquiet pour eux. Nous saurons nous en occuper. Ils seront très bien à votre retour, je vous l'assure. Je dois préciser que vos pensées sont pour nous comme des paroles, alors si vous préférez que nous nous abstenions de les lire, dites-le nous. Il est certes préférable que vous sachiez exactement ce à quoi vous en tenir. Je vois que vous êtes heureux d'accepter notre invitation. Ça me fait plaisir. Je voudrais que ce soit clair pour vous que nous ne faisons jamais d'ingérence dans le destin des humains de la Terre. Comme vous semblez vouloir nous dire que vous préférez que nous ne lisions pas vos pensées, nous agirons ainsi dorénavant. Nous devons nous occuper de votre voiture maintenant. Vous n'avez pas à vous en faire, elle sera en sécurité. Si vous voulez bien me suivre dans l'astronef, nous y attendrons nos frères pour partir...

L'astronef, d'un métal gris bleuté, avait un diamètre d'environ dix mètres et sa hauteur atteignait certainement les quatre mètres. Il était monté sur quatre supports d'une longueur de deux mètres. Un genre d'escalier sortait du centre inférieur. C'est dans cette direction que le groupe se dirigea. En pénétrant à l'intérieur, Jean Ferguson vit tout d'abord des sièges qui semblaient très confortables. Leur inclinaison différait d'un siège à l'autre comme si certains membres de l'équipage dormaient à leur arrivée sur la Terre. Il y avait des lumières clignotantes sur un tableau de bord : on y voyait des symboles ou des inscriptions dans une langue inconnue.

Ratuel désigna un siège à son invité et prit lui-même place sur un siège voisin. En s'assoyant, le terrien remarqua que les coussins moulaient parfaitement son corps, l'appui-tête arrivant juste au bon endroit. Il sut qu'il pourrait facilement s'endormir à tout moment tant il se sentait à l'aise. Pour une fois qu'il ne serait pas obligé pour ce faire d'avaler ses sempiternels somnifères! Il se sentait bien et c'est en toute confiance qu'il s'informa du fonctionnement de l'appareil.

Le dernier membre d'équipage ayant monté et pris place sur un des sièges, Ratuel sourit. Il comprit que Jean était entré de plain-pied dans le plan prévu et qu'il pouvait tout lui dévoiler sur le maniement de l'appareil et ce, sans faire d'ingérence dans l'esprit du terrien. Aussi, en pressant sur des touches, il expliqua ce à quoi celles-ci servaient. Il mit l'appareil en mouvement, puis il dit à son invité qu'ils allaient se soustraire à la vue des curieux éventuels en passant entièrement dans la quatrième dimension. Enfin, l'engin s'éleva lentement à quelques centaines de mètres du sol et resta immobile. Ratuel expliqua qu'ils allaient passer dans la quatrième dimension. L'astronef s'envola dans un léger bruit et dans une sensation de douceur. Jean Ferguson, sur l'invitation de Ratuel, jeta un coup d'oeil par un hublot et il vit les voitures sur la grande route car même dans la quatrième dimension, on pouvait voir dans la troisième sans problème, mais tout semblait être au ralenti. Ratuel fit virer l'appareil à droite et à gauche pour montrer sa maniabilité. A certains endroits, il semblait l'immobiliser, mais expliqua que ce n'était pas le cas. Il ne faisait que se mettre à la même vitesse que la rotation de la planète Terre. Il continua sur sa lancée en disant que les êtres extraterrestres qui avaient la possibilité de voyager ne détruisaient rien volontairement. Aussi, ils n'avaient pas besoin de carburant. Ils prenaient tout simplement l'énergie contenue dans les particules de lumière pour se propulser. Celles-ci se rechargeaient rapidement après le passage de leurs appareils. Il ajouta que parfois des accidents pouvaient se produire mais que ceux-ci étaient involontaires.

— Nous savons, contrairement aux habitants de la Terre, que la vie sous toutes ses formes appartient au Créateur de toutes choses. Nous aimons et bénissons tout ce qu'Il a accompli et nous avons choisi, il y a de cela des millions d'années, de ne rechercher que Sa Volonté. C'est pourquoi nous pouvons, par la prière et la méditation, accomplir tout ce qu'Il désire. Nous pouvons aussi Le manifester, selon notre compréhension, en tout temps. Personne ne nous appartient, nous ne sommes responsables que de nos âmes individuelles et nous le savons; c'est aussi la raison pour laquelle nous connaissons la différence entre l'aide et l'ingérence dans les affaires d'autrui. Nous vous aidons par cette rencontre. Si vous aviez manifesté le désir de ne pas nous accompagner, nous aurions fait de l'ingérence en vous forçant à le faire. Cela ne nous est pas permis. Vous me demanderez sans doute pourquoi, dans certains cas, des humains ont été enlevés dans des endroits précis et ont été déposés à des centaines de kilomètres plus loin en quelques instants. Je réponds à ceci en vous révélant que ces mêmes individus avaient demandé, lors de rencontres nocturnes pendant leur sommeil alors qu'ils étaient dans l'astral que nous nous manifestions de cette manière. Nous avons dû développer ou améliorer un système qui nous avait permis antérieurement d'enlever certains individus de cette façon. Qui ne connaît pas l'histoire de l'enlèvement d'Élie ou de d'autres personnes décrite dans vos livres saints? Une catastrophe provoquée par le comportement des hommes peut survenir à tout moment sur la Terre. Nous devons être préparés à enlever le maximum de gens en quelques minutes. Je puis vous assurer que nous sommes prêts. Ceux qui auront éveillé leur capacité d'aimer et qui auront foi en Dieu pourront être enlevés. Nous voudrions que vous participiez maintenant à cette oeuvre grandiose. Si vous êtes présentement un enfant de la Terre, vous avez aussi été un enfant de notre planète antérieurement. C'est la seule et unique raison de nos contacts avec vous. Incidemment, nous sommes tous frères. Nous croyons, comme plusieurs habitants de votre planète, en l'amour et en la liberté de chacun. Nous allons dépasser les limites de la Terre maintenant. Comme nous voyageons dans la quatrième dimension, ne soyez pas surpris de voir des milliers de vaisseaux spatiaux et même de ceux que nous appelons des vaisseaux-mères puisqu'ils peuvent transporter des centaines d'appareils comme le nôtre en même temps. Je vous laisse regarder par vous-même en appuyant sur cet écran...

Aussitôt apparurent aux yeux ébahis de Jean Ferguson une multitude de vaisseaux ayant des formes différentes. Il y en avait qui semblaient même avoir des dimensions de quelques kilomètres. Le Terrien comprit que Ratuel avait eu raison de lui expliquer ce qui se passait, sans cela, il aurait pensé qu'il devenait complètement fou. Il remercia le Ciel de lui avoir permis de vivre une telle aventure. Il pensait à ses amis qui auraient voulu être avec lui et en fit la remarque à Ratuel qui rétorqua que le temps viendrait bientôt où ce voeu serait exaucé et comblé.

— C'est notre désir le plus sincère de fraterniser avec les Terriens, mais il ne faut pas oublier que la mentalité manifestée sur Terre est contraire à tout ce que nous connaissons des autres mondes habités. La Terre est sans doute la seule planète où les hommes ont constamment des pensées négatives et quand ils s'arrêtent à ces pensées pour en faire des idées, celles-ci sont de haine et de vengeance. On veut que chacun pense comme soi. Voyons! C'est de l'aberration mentale pure et simple. Qui peut dire à son frère qu'il est dans l'erreur? Chacun doit être libre de croire en ce qu'il croit être vrai. Puis, au fur et à mesure que la vérité se fait lumière en lui, il doit être prêt à changer. Heureusement, nous connaissons des âmes qui manifestent l'amour infini, sans cela, nous ne pourrions même pas être prêts à aider, à vous aider, frères de la Terre. Je ne condamne personne mais je refuse la mentalité générale. Je sais, nous savons tous que la majorité d'entre vous aspire à la paix et au bonheur. Nous voulons tout simplement vous prendre par la main pour vous parler d'amour, de joie intérieure afin que comme chez nous votre Terre puisse vivre selon la Volonté de Dieu et sous Son Règne. Nous voudrions que vous connaissiez la différence d'abord puis que vous choisissiez ensuite. Nous souhaitons que tous les enfants de la Terre s'unissent en une seule nation où la paix, le bonheur et la joie de vivre leur fassent reconnaître qu'ils sont un puisque formés du limon de la Terre, leur mère. Puissiez-vous comprendre cela rapidement afin que s'installent pour toujours l'amour et la bonne entente entre les différents habitants de tous les mondes habités... Je parle toujours, excusez-moi. Nous allons maintenant nous rendre à notre planète. Je vous explique ce qui se passera. Nous avons des antennes (pour employer votre langage) qui nous attirent vers la matière ou nous repoussent selon le cas. Nous pouvons, grâce à ce principe, être vus sous forme de nuée, sombre le jour, lumineuse la nuit. Tout ce que nous avons à faire est d'atténuer le côté positif et d'augmenter la puissance du côté négatif. Cela produit des effets tels que je l'ai déjà expliqué. Maintenant si j'annule le puissance de l'antenne dite positive et que j'augmente la puissance de l'antenne négative, il se produit un curieux phénomène : nous sommes attirés par l'anti-matière. C'est de cette façon que je vais procéder dans quelques instants. Je dirige l'antenne anti-matière vers un point connu de nous et nous y serons projetés à une vitesse incroyable pour le plus optimiste de vos scientifiques! Ce qui se produit alors relève aussi de la science-fiction pour vous dans l'état actuel de votre compréhension des lois de l'univers. En arrivant près du point d'anti-matière dont je vous ai parlé, celle-ci n'acceptant aucune matière dans son environnement, nous projette loin dans l'espace. Tout ceci se passe en moins d'une seconde. Une caméra verrait tout disparaître et réapparaître immédiatement. Nous serons alors à proximité de notre planète que vous pourrez visiter à loisir. Je suis persuadé que cela sera pour vous une expérience plus extraordinaire que tout ce que vous avez pu imaginer de plus fantastique dans toute votre vie. Préparons-nous, nous partons.

Jean Ferguson était bien. Il se sentait tellement léger qu'il crut un instant connaître quelque chose de nouveau. Il ouvrit les yeux et vit ses compagnons qui lui souriaient. Ratuel appuya sur un point précis au tableau de bord et une planète, ayant sensiblement les dimensions de la Terre, apparut. Il vit aussi vers la gauche un soleil émettant une lumière bleue. En se tournant vers la droite, il fut surpris de constater qu'un autre soleil y brillait. Celui-là avait une couleur orangée. Ratuel lui expliqua que deux soleils éclairaient les planètes de ce coin du ciel.

— Nous passons de l'orangé au bleu et vice-versa. Nous ne connaissons pas la noirceur comme vous sur la Terre. Cependant, beaucoup de systèmes n'ont qu'un soleil mais certaines planètes peuvent être éclairées par trois soleils. Il ne faut pas oublier que le Créateur fait bien tout ce qu'Il fait. Nous allons maintenant nous poser sur Actoria. C'est le nom que nous avons donné à notre monde. Ses dimensions étant à peu près celles de la Terre, vous ne vous sentirez pas indisposé. Remarquez qu'il y a moins d'eau que vous en avez, c'est pourquoi nous ne sommes pas exactement constitués comme vous. La différence réside particulièrement dans notre système digestif et dans nos intestins. La végétation est différente, tout comme la faune, marine ou terrestre. Nos habitations que vous pouvez voir maintenant sont presque toutes construites de matériel qui change selon la température. Quand il fait chaud, la température reste à environ 20 de vos degrés celsius. Le même phénomène se produit quand il fait froid. Comme vous voyez, les habitations en général sont unifamiliales si on peut considérer que nous vivons en famille, ce qui n'est pas le cas, mais je suis obligé de prendre des comparaisons qui sont accessibles à votre esprit. Nos habitations se terminent en forme de dôme. Remarquez que la végétation est plus rare que celle que vous connaissez sur votre planète d'origine. Il y a beaucoup d'endroits chez nous où elle ne prend même pas racine. Pour ne rien détruire, nous construisons des demeures qui respectent cette verdure rarissime. Dès que nous serons posés, je vous présenterai au Conseil de la planète. Vous découvrirez que vous êtes aimés, enfants de la Terre, au-delà de tout ce que vous pouvez supposer...

En descendant de l'aéronef, Jean se sentit heureux comme il ne l'avait jamais été. Il pressentait le plaisir que ses hôtes éprouvaient au retour d'une longue expédition. Il savait aussi que ceux-ci étaient restés en contact télépathique pendant toute la durée du trajet. Ils prirent place dans deux petits véhicules qui s'avérèrent être des aéromobiles. Ceux-ci s'élevèrent à environ cinq mètres du sol et prirent la direction de ce qui parut être au premier abord une ville toute proche. Après s'être posés près d'un édifice énorme, le seul d'ailleurs existant dans la ville, tous les autres étant plus petits, ils débarquèrent pour se présenter devant les membres du Conseil planétaire. En pénétrant dans la grande salle où étaient assises les sept personnes qui le composaient, ils saluèrent en portant la main droite, poing fermé, à la hauteur du coeur, signifiant par là qu'ils mettaient leur coeur au service de l'univers, puis Ratuel demanda à Jean de le suivre et s'avança vers la table du Conseil. Sur un signe d'un des membres du Conseil (tous étaient vêtus de tuniques bleues et semblaient à peu près du même âge), Ratuel invita le Terrien à s'assoir et il prit place à côté de lui. La personne qui était assise au centre se leva pour souhaiter la bienvenue à Jean Ferguson :

— Nous te saluons, Frère de la Terre. C'est une grande joie pour nous comme pour tous nos frères de te recevoir. Nous espérons que ton séjour parmi nous sera agréable. Nous avons des mets qui répondront à tes besoins et nous te prêterons des vêtements similaires aux nôtres, si tu le désires. Nous ne te retiendrons pas car nous savons que notre frère Ratuel désire rencontrer ses proches. Cependant nous aimerions te revoir avant ton départ. Que la paix et le bonheur te recouvrent de leur lumière pendant ton séjour parmi nous. Nous sommes conscients que tu es originaire d'ici et nous aimerions que les souvenirs te reviennent bien que ce soit beaucoup demander. Puisque tu es l'hôte de Ratuel, pars avec lui et étudie notre culture. A bientôt!

L'entretien avait été de courte durée, ce qui plut beaucoup à Jean Ferguson qui était reconnu pour ne pas aimer perdre son temps. Il se leva pour remercier d'une voix émue et salua en même temps que Ratuel, puis tous deux se dirigèrent vers la sortie de l'édifice. La joie et le bonheur étaient apparents partout à l'extérieur.

La demeure de Ratuel, comme toutes les habitations du voisinage sans doute, était construite en un genre de matériau ressemblant à du verre. Tout était sur un seul étage. Il y avait des murs qui semblaient exactement pareils aux murs extérieurs avec cependant des teintes différentes. En plus de Ratuel et de sa compagne Ellsda, il y avait une autre jeune fille et Jean Ferguson apprit qu'elle était leur enfant et qu'elle portait le nom de Sarah. Il ne put faire autrement que de faire référence à la Bible. Alors Ratuel lui souffla par télépathie que finalement tout se rejoignait chez les habitants de l'univers. La famille de Ratuel semblait heureuse de se retrouver. Ellsda et Sarah questionnèrent leur géniteur sur la vie des habitants de la Terre et elles parurent n'en pas croire leurs oreilles. Ellsda comprit enfin pourquoi Ratuel préférait ne rien dire ou penser à ce sujet quand il revenait de ses périples spatiaux.

— Sur cette planète-ci, dit-elle, il nous serait impossible de vivre autrement qu'en étant en perpétuel état d'amour et de respect pour nos soeurs et frères. Nous ne pourrions être autrement. Chacun fait ce qu'il aime et peut ainsi s'émanciper. Nous n'avons pas de système de troc comme chez vous. Je vous trouve aberrants. Comment voulez-vous vivre en bonne entente en agissant de cette façon? De toute manière, j'espère que ces choses n'arriveront jamais sur notre planète où l'on ne vit que dans le partage et l'amour de toutes les choses créées. Ici, chacun se perfectionne selon ce qui l'intéresse davantage. Tout ce qu'on fait est basé exclusivement sur le mieux-être de tous. Il est vrai que plusieurs peuvent faire la même chose ou créer le même produit ou quelque chose de similaire, mais tout cela répond aux besoins et aux aspirations de quelqu'un. Que ce soit dans l'alimentation ou dans ce que vous nommez plaisamment « l'électronique ou le magnétisme » qui est, somme toute, une force naturelle inscrite dans la nature de l'univers, comme toute chose répond aux désirs naturels ou intellectuels : tout le monde sert tout le monde et chacun peut s'émanciper en plénitude en accomplissant ce qui lui sied. Ne trouvez-vous pas cette manière de vivre et ce système plus adéquats?

Jean hocha la tête et se dit que si cela pouvait arriver sur la Terre, ce serait vraiment formidable. Plus de guerres, plus de meurtres, plus d'acrimonie, plus de blessures morales. La paix enfin. Il y avait là matière à méditation. Sarah prit la parole en s'excusant et demanda la permission de préparer le repas. Elle ajouta à l'intention de Jean que des fruits et des légumes de la Terre seraient au menu afin qu'il se sente bien à l'aise.

— Nous avons une serre pour les cultiver. J'ai été en cueillir ce matin avec une compagne qui a visité votre monde en certaines occasions. Elle m'a aussi enseigné l'art de les préparer comme vous le faites, tout en conservant la vie qui les habite. Je veux dire leurs semences intactes pour leur reproduction.

Jean s'aperçut qu'il était affamé; le voyage l'avait creusé.

— Ce sera sans doute meilleur que ce que je fais car je prépare toujours moi-même mes repas! C'est bon de manger quelque nourriture préparée par une autre personne... euh... si je peux vous appeler des personnes... Je suis certain que ce sera délicieux.

Le repas fut suivi d'une courte sieste et, comme Jean se sentait surexcité par tout ce qu'il voyait ou entendait, il ne put que somnoler pendant quelques instants. Néanmoins, quand Ratuel s'informa pour savoir s'il désirait visiter les lieux, il se leva et se prépara à le suivre, non sans avoir été invité à revêtir au préalable une combinaison jaune comme les habitants de cette planète sans qu'on le mit au courant de la fonction de ce cérémonial. Il se sentait bien et joyeux, ce qui n'était pas son cas normalement. Il alla même jusqu'à se demander s'il lui serait possible de demeurer en cet endroit idyllique, puis, jetant un regard sur Ratuel, il s'aperçut que celui-ci respectait sa promesse et ne s'ingérait pas dans ses pensées. Ils se rendirent à différents points où l'on fabriquait diverses choses. Que ce soient des vêtements, la machinerie en général, les appareils électroniques (comme on le voit, il n'y avait pas trop de différence avec la Terre, ce qui n'est guère étonnant puisque tout s'imite dans l'univers d'un endroit à l'autre), il remarqua que celles et ceux (les mâles semblaient avoir les mêmes droits et privilèges que les féminines), Jean remarqua donc qu'ils étaient fort occupés agissant et travaillant avec enthousiasme. Leurs gestes étaient empreints de respect envers les matériaux employés avec amour et art. La nuit, si on peut dire ainsi, était tombée. C'est-à-dire que tout ce qui les environnait avait pris une teinte légèrement bleutée puisque l'astre bleu était maintenant haut dans le ciel. Ils reprirent le chemin de l'habitation de Ratuel et terminèrent la soirée en regardant des images téléguidées en provenance d'autres planètes proches ou lointaines.

Les quelques jours passés sur cette planète furent pour Jean, en plus d'être une cure de jouvence, une véritable découverte. C'est donc le coeur lourd qu'il quitta cette planète merveilleuse quelques jours plus tard. Il embrassa Ellsa, puis accompagné de Ratuel et de Sarah, qui avait été autorisée à participer à la mission du retour, ils se rendirent à la salle du Conseil planétaire afin que Jean puisse faire ses adieux aux membres qui le composaient. C'est avec une pointe de regret au coeur qu'il quitta ce qu'il appellerait désormais le Paradis. C'était réellement pour lui la vie qu'il avait imaginée dans le Paradis.

Le retour s'accomplit en douceur. Jean retrouva son automobile. Il s'empressa de rentrer chez lui. Il reçut un accueil chaleureux de ses chats. Ceux-ci semblaient savoir ce qui s'était passé.

Ce que je viens de raconter, je le tiens de Jean Ferguson lui-même. Il voulait que tous sachent qu'il est possible de vivre autrement et aujourd'hui si vous le rencontrez par hasard et qu'il ait un drôle d'air, ne vous en formalisez pas et respectez son silence. Comme chacun de nous, il a droit à la liberté totale. Cependant, il en sait beaucoup plus que nous, même s'il ne le dit pas.

Nous lui demanderons un jour de nous raconter d'une façon plus détaillée la vie telle que manifestée sur la planète aux deux soleils. Nous désirons ardemment avec lui partager ce qu'il a vécu et quand il sera prêt, probablement nous parlera-t-il de la vie au paradis comme lui seul peut nous la raconter...

ITE MISSA EST

Laure Ouelle

La vieille voiture avançait lentement sur la route cahoteuse qui ramenait monsieur Brisson et sa fille Alice vers leur demeure après quelques courses faites en Ontario.

Dans le nord de l'Ontario ou du Québec, les routes se valaient bien, et dans les chemins de traverse que l'on empruntait pour épargner du temps, on était sûr que la poussière serait au rendez-vous. C'est donc avec plaisir que les deux voyageurs virent se profiler à l'horizon la petite station-service des Aubé et, du fait même, la grand-route.

Blanche et Paul Aubé s'étaient installés à Cunday, dans le nord ontarien quelques années auparavant. Ils avaient acheté cette station-service à laquelle ils avaient adjoint un petit restaurant. A ce carrefour achalandé, ils faisaient de bonnes affaires, d'autant plus qu'ils avaient la réputation d'être des gens honnêtes et vaillants.

En voyant la voiture apparaître à l'horizon, Blanche Aubé était venue se poster entre les deux pompes à essence. Jupe au vent, chaussée de courtes bottes de caoutchouc, elle scrutait la route bras croisés en se demandant qui approchait.

— Ah, c'est vous, m'sieur Brisson. J'me demandais si c'était ben vot'Ford que j'reconnaissais. I faut dire qu'avec toute c'te poussière...

— Ben oui! Chus passé par les petits chemins d'en arrière; on a un peu traîné en ville pis j'veux pas trop faire attendre ma femme : a nous attend pour souper. Remplissez-le, s'il vous plaît.

— Du jaune ou du rouge?

— Du jaune, ça fera l'affaire.

Des voix enfantines parvenaient par la porte

entrouverte du garage. Brusquement, la porte s'ouvrit toute grande, livrant passage à quatre jeunes enfants qui se bousculaient à qui mieux mieux en riant.

— Voulez-vous ben rester tranquilles! cria Blanche.

Elle n'avait pas terminé sa phrase que l'un des enfants buta contre le présentoir de boîtes d'huile qui s'étalèrent avec fracas dans toutes les directions. Sans marquer le moindre arrêt, les enfants continuèrent leur bousculade et disparurent derrière le bâtiment.

— Qu'est-ce que j'ai faite au bon Dieu pour avoir des tannants d'même? J'vous dis, m'sieur Brisson, que c'est pas drôle de s'occuper du commerce pis d'la maison. Mes huit p'tits malcommodes m'en font voir de toués couleurs!

Tout en replaçant le tuyau sur la pompe à essence, elle ajouta :

— Pis mon engagée qui a décidé de partir! I faut absolument que j'trouve quequ'un pour la remplacer.

Alice avait assisté à la scène avec un sourire amusé. Elle aimait les enfants enjoués, ayant grandi avec ses nombreux frères et soeurs. Elle savait pertinemment quel trésor de patience il faut parfois déployer avec les petits.

Sa soeur aînée âgée de dix-huit ans, songeait sérieusement à se trouver un emploi, aussi une petite lueur s'était-elle allumée dans ses beaux yeux bris lorsqu'elle entendit madame Aubé.

— P'pa, dit-elle en lui touchant le bras, pensez-vous que Lucie pourrait accommoder madame Aubé? A l'avait justement envie de s'chercher une job. Astheure qu'on est assez grand à la maison, m'man a pus besoin d'elle, pis moé chus capable d'aider à mon tour...

Après un instant, elle ajoutait :

— ... Ça lui permettrait d'commencer son trousseau... Bernard pis elle se connaissent depuis pas mal de temps... pis...

— Mais oui, ma fille, c'est peut-être une bonne idée.

Tout en réglant la note, monsieur Brisson

transmis l'idée à la commerçante qui, d'emblée, se montra fort intéressée.

— Chus certaine que Lucie voudra bien travailler chez vous, madame Aubé, dit Alice en baissant la vitre de la portière.

— Ben, j'ai rien à pardre de l'essayer pour une couple de jours.
Ça m'sauverait ben des problèmes. A l'a quel âge, vot'fille?

— Dix-huit ans.

— Bon, ben, j'veux ben l'essayer mais j'vous avertis, l'ouvrage est pas facile.

Dès qu'elle mit les pieds à la maison, Alice s'écria :

— M'man, vous devinerez jamais c'qui arrive!

— Allez, venez à table tous les deux, tu m'conteras ça en mangeant ta soupe, répondit la mère.

— Pour une nouvelle, c'en est toute une, Alice. Si c'est c'que Lucie veut... En tout cas, j'aime mieux que ce soit chez les Aubé qu'a travaille plutôt qu'ailleurs. C'est du bon monde : serviables, travailleurs, pis pieux à part ça. Leur réputation n'est plus à faire.

Madame Brisson voyait sa fille aînée sous un jour nouveau. Sa Lucie était devenue une jeune femme, forte et belle. A peine grandie, voilà qu'elle quittait le nid, pensait-elle.

Alice et son père avaient été si sûrs que Lucie accepterait l'emploi que les arrangements aveient été pris pour que, dès le lendemain, elle s'installe chez les Aubé. Le soir, les petits couchés, elle avait fait sa valise, toute excitée à la perspective d'aller vivre dans une plus grande municipalité. Longtemps après que tout le monde fût endormi, Lucie songea à cette famille Aubé. Elle tentait d'imaginer leur demeure et déjà, elle se voyait entourée d'un joli décor.

Au matin, elle avait embrassé ses jeunes frères et soeurs qui partaient pour l'école et, pendant que les parents faisaient les dernières recommandations à leur fille, on entendit le moteur d'un véhicule qui s'immobilisait dans l'entrée. C'était madame Aubé, qui arrivait au volant de son camion.

Après les salutations d'usage, le jeune fille prit place aux côtés de sa nouvelle patronne pour parcourir les quelque cent kilomètres qui séparaient la maison paternelle de Cundy.

Le trajet fut passablement silencieux; Blanche n'était aps très causante. Arrivée à l'entrée de la municipalité, Lucie se préparait à regarder de tous ses yeux ce nouvel environnement. Ce qu'elle découvrit lui fit perdre toute illusion. Un bureau de poste, un magasin général, une salle de réception et la station-service des Aubé, voilà qui complétait la rue Principale. Quant aux maisons, elles étaient éparpillées sur tout le territoire de la municipalité : neuf cents personnes dispersées, c'est loin de la grande ville! Lucie, cependant, se consolait en se disant qu'elle travaillerait dans une jolie maison.

Le camion avait amorcé un virage et gravissait sans peine une butte au sommet de laquelle se trouvait une petite maison. Des rangs de planches grisonnées par le temps en recouvraient les murs extérieurs, et le toit de bardeaux était du même ton. Quelques fenêtres étroites perçaient ça et là. Le déception se lisait sur le visage de Lucie.

— Lorsqu'on est arrivé icitte, on a investi toute not'argent dans l'garage. I fallait ben vivre. Pis on a acheté ça comme maison en attendant d'être en moyen d'acheter aut'chose, dit Blanche comme pour s'excuser de l'état lamentable des lieux.

Timidement, Lucie rétorqua :

— Vous savez, j'ai pas été élevée dans un château...

Ce disant, les deux femmes pénétrèrent dans la maison. Une cuisine, un salon et une chambre à coucher composaient les pièces du rez-de-chaussée.

— Tu pourras coucher dans not'chambre, dit Blanche.

Remarquant l'embarras de la pauvre Lucie, elle s'empressa d'ajouter :

— Nous, on dort presque jamais là, de toute façon. On a un lit au garage pis si ça se trouve, on ira en haut avec les enfants.

Par la porte ouverte, Lucie voyait le lit, la chaise et la commode qui meublaient la pièce. Un grand rideau la divisait en deux parties égales, ménageant ainsi un espace pour ranger l'énorme motocyclette de madame Aubé ainsi que tout le bric-à-brac que l'on ne pouvait ranger ailleurs.

Un étroit escalier menait au grenier où dormaient les enfants. Trois grands lits remplissaient tout cet espace sans cloison ni plafond. Huit boîtes de carton ayant contenu des boîtes d'huile s'alignaient sur le mur au fond et servaient de meubles de rangement pour les vêtements des enfants. Huit enfants, huit boîtes! Chaque boîte portait l'initiale de son propriétaire. Chacun avait son coffre au trésor, même si le trésor était bien maigre.

L'été le grenier était un véritable fourneau, l'unique lucarne ne suffisait pas à faire pénétrer assez d'air pour rafraîchir la pièce. L'hiver, au contraire, les enfants claquaient des dents. Malgré l'exiguïté des lieux et le manque évident de confort, tout le monde avait sa place et personne ne se plaignait.

Les Aubé n'avaient pas l'eau courante dans la maison. Un puits presque toujours à sec fournissait l'eau potable tandis que l'eau servant aux usages domestiques était achetée de marchants ambulants. La plupart du temps, en hiver, deux garçons transportaient l'eau du lac situé non loin de là à l'aide d'un traîneau tiré par un cheval. Arrivés à la maison, ils transvasaient du baril liquide et glaçons dans les nombreux contenants hétéroclites disséminés à travers la cuisine. L'été, ils livraient l'eau deux fois par semaine en utilisant une charette.

Paul Aubé, âgé de trente-cinq ans, était un grand et mince gaillard. Ses grands yeux bruns étaient voilés par d'épaisses lunettes qui adoucissaient la dureté de ses traits. Quant à sa femme, sans être jolie avec ses pommettes saillantes, elle avait de beaux yeux bleus; cependant à trente-deux ans, elle luttait farouchement, à l'aide d'un régime de salades et de gélatine, contre un sérieux et tenace embonpoint. Leurs huit enfants, dont les âges s'échelonnaient de deux à douze ans, étaient pleins de vie. Les cinq grands fréquentaient l'école du village, tandis que les petits demeuraient à la maison. Quatre garçons et quatre filles créaient un équilibre parfait.

Aux dix personnes de la famille, s'ajoutaient les deux serveuses du petit restaurant. C'est donc pour treize que Lucie cuisinait tous les jours.

— Faites-vous-en pas, madame, chez nous aussi, on est pas mal, dix, quinze ou vingt, ça m'dérange pas.

Toute la maisonnée se régalait car Lucie était bonne cuisinière et ses desserts surtout suscitaient la gourmandise des petits et des grands.

Blanche Aubé était vraiment très satisfaite de ses services :

— La maison est propre, on mange ben pis a l'air à s'arranger avec les enfants, qu'est-ce que tu veux qu'on demande de plus? disait-elle à son mari.

Fidèles à leur réputation, les Aubé étaient des bourreaux de travail. Ouvert vingt heures par jour, leur commerce exigeait qu'ils se relaient dans les tâches, réparant crevaisons et problèmes mécaniques divers tant pour les véhicules de plaisance que pour les camions à remorque restés en panne le long de la route.

Lors de l'achat de ce commerce Blanche Aubé s'était vue attribueer la responsabilité de la gérance du restaurant et du service aux pompes. La femme n'aimait pas les travaux ménagers, préférait ce genre d'occupation. Elle n'hésitait jamais à se rendre, comme elle le disait dans son "franglais", sur un "call" avec la "toueuse" pour faire un "towing".

Lorsque son mari tombait de fatigue ou était malade, c'est elle qui prenait en main la réparation de crevaisons et de bris mineurs. Elle se sentait à l'aise dans ce genre d'activités : cette femme, presque toujours vêtue d'une salopette, paraissait singulière à cause de son occupation et son habillement en ce début des années cinquante.

Le couple, fort économe, abattait le plus de besogne possible afin d'éviter de payer des salaires. Il logeait le plupart du temps dans un recoin du restaurant aménagé en chambre. Un lit simple leur permettait de dormir à tour de rôle et un fauteuil accommodait celui qui était de garde durant la nuit. L'un et l'autre ne paraissait à la maison qu'à l'heure des repas et, encore, quand ils en avaient le temps.

Les enfants aussi mettaient la main à la pâte. L'aînée, Denise, s'occupait du service aux pompes à essence et servait au restaurant après la classe et durant les congés. Les deux plus grands garçons, André et Jacques, âgés de onze ans et neuf ans, s'occupaient aussi des pompes pour permettre à leur mère de se reposer. Les enfants travaillaient non sans rouspéter, mais la menace d'une fessée s'ils refusaient, assurait leur coopération. Les directives des parents devaient être respectées en tout temps, bon gré mal gré.

Comme le couple Aubé voulait que les enfants parlent français, l'anglais était interdit à la maison. Ils en avaient prévenu Lucie; la situation n'était pas facile pour la jeune fille qui ne comprenait pas un mot d'anglais et qui soupçonnait les enfants d'entretenir dans cette langue des propos railleurs ou de mijoter des mauvais coups lorsqu'elle avait le dos tourné. Mais à force de transgresser les consignes de ses patrons, elle finit par maîtriser suffisamment l'anglais pour comprendre et neutraliser ainsi leurs petits manèges.

Lucie était chargée de l'éducation des enfants et elle avait été prévenue de faire preuve d'autorité. Ces enfants n'avaient jamais connu la tolérance, encore moins les cajoleries. Leurs parents étaient adeptes des punitions corporelles. Lucie qui n'approuvait pas cette méthode qu'elle jugeait dépassée; elle usait donc de douceur avec eux et elle avait réussi à se faire aimer et obéir. Depuis que Lucie était là, la verge restait sur l'étagère.

— T'es trop douce avec eux-autres, s'insurgeait la mère, ta remplaçante va avoir d'la misère à s'faire écouter quand tu vas t'en aller.

Lucie se sentit pincée par une telle remarque. Elle trouva que les Aubé faisaient montre d'un autoritarisme indu qui n'avait pas sa place dans l'éducation des enfants. Surtout que ceux-ci étaient encore bien jeunes.

Elle ne répondit pas tout de suite. Dans sa tête, elle retourna et retourna la réponse qu'elle avait envie de faire à la mère, mais les mots ne lui venant pas, elle eut peur d'aller trop loin et que son indignation dépassât sa pensée. Après tout, c'était à eux les enfants et non à elle. Mais Lucie s'était déjà attachée à eux et elle souffrait de ne pas pouvoir laisser libre cours à son affection. Bien sûr, elle était chargée de les élever, les Aubé étant trop absorbés par leur travail. Cependant, elle se disait que, vivant tout près d'eux, elle avait quant même son mot à dire et elle devait leur rendre la vie facile. Pourquoi, se disait-elle, faut-il toujours que les enfants paient pour les occupations et le mauvais caractère des parents? Elle était loin d'admettre la façon sévère que certains parents avaient d'éduquer leur progéniture. Il est vrai que c'était dans la mode du temps. On aurait dit que l'affection était absente de ce système de valeur.

Lucie était douée d'une nature généreuse et elle se disait que si, un jour, elle avait elle-même des enfants, elle ne procéderait pas certainement de cette façon pour les élever. Madame Aubé revint à la charge :

— T'es trop douce avec avec eux-autres; une volée de temps en temps, ça ne fait pas de mal...

— Jusqu'astheure, madame, i m'ont rien fait pour mériter une volée, répliquait timidement Lucie qui avait vu trop souvent les yeux rouges et les fesses meurtrics des enfants.

Lucie aimait les enfants et elle faisait tout son possible pour réparer leurs bévues et leur éviter les corrections. Que ce soit pour un livre d'école abîmé ou pour un vêtement déchiré, la jeune fille s'empressait de payer l'amende pour l'enfant ou d'effectuer la réparation de peur qu'il ne lui soit infligé de nouveaux sévices. En effet, la forte sévérité des parents allait bien au-delà d'un châtiment à la mesure de la faute. Ils étaient excessifs en tout.

Le jour où Denise, l'aînée, sortit furieuse en claquant la porte à la suite d'une remarque désobligeante de sa mère, Lucie sentit son coeur se glacer en voyant se briser un carreau vitré de la porte, refermée trop brutalement. C'était grave, aussi s'empressa-t-elle de sortir sous prétexte d'aller chercher les légumes pour le repas afin de ne pas assister à la scène. « Elle va se faire tuer, la pauvre enfant », réfléchissait-elle en elle-même en cueillant quelques tomates dans le potager. Lucie mit beaucoup de temps ce jour-là à rentrer dans la maison.

— Denise est punie, a va rester en haut toute la journée.

La sentence avait été prononcée par la mère avant son départ pour le restaurant. Dès que la jeune femme eût tourné le coin sur sa motocyclette, Lucie s'empressa de monter voir la fillette et lui apporter à manger et à boire. Des marques rouges tranchaient sur la blancheur de ses bras et de son visage.

Depuis qu'elle était à l'emploi du couple Aubé, Lucie s'offrait peu de distractions. Le travail épuisant de la journée et la garde des enfants le soir ne lui laissaient guère de temps pour les loisirs. De nature tranquille, elle ne s'en plaignait pas. Elle ne comptait pas les heures consacrées à ses tâches car elle tenait à assurer le maximum de bien-être aux enfants. Pour le salaire qu'on lui payait, c'était presque du bénévolat. Les Aubé reconnaissaient malgré tout la qualité de son travail et de sa présence; la preuve, ils finirent par la gratifier d'une augmentation de salaire.

Les journées longues et bien remplies commençaient vers six heures par un bon déjeuner pour toute la marmaille. Il fallait ensuite préparer les cinq plus grands pour l'école et veiller à ce qu'ils ne soient pas en retard.

Les jours de lessive, la fille de ménage, commençait sa journée dès cinq heures le matin. A la fin de la semaine, les vêtements salis de onze personnes, cela constituait toute une tâche. Il lui fallait mettre la cuve de métal sur les plaques du poêle et la remplir d'eau qu'elle puisait dans des barils placés dans la cuisine. Tout en faisant le tri du linge sale, elle attendait que l'eau soit bien chaude avant de la transvaser dans la machine à laver. L'évier de la cuisine n'étant pas pourvu d'une bonde de sortie d'égoût, il lui fallait donc porter à l'extérieur l'eau sale de la lessive et aller la déverser dans un fossé.

Quant au séchage, il se faisait en pleine nature, sur la corde à linge accrochée à des poteaux plantés non loin de la maison. Les jours de lessive exigeaient de nombreuses heures de déplacement et d'efforts musculaires.

Le dimanche était partiellement jour de congé pour Lucie, puisqu'elle devait préparer les repas de la famille tous les jours sans exception. Son ami Bernard en profitait pour venir lui rendre visite. Les jeunes gens occupaient les moments de répit entre les repas à faire une promenade en camion. Lucie éprouvait un immense plaisir à revoir celui qu'elle aimait et à se balader avec lui.

Comme bon nombre d'amoureux, ils profitaient du salon improvisé qu'était la cabine du camion garé dans un sentier retiré pour s'embrasser et se permettre des plaisirs défendus. Lucie et Bernard augmentaient ainsi le nombre de jeunes gens que les prêtres qualifiaient à cette époque de pécheurs du dimanche. Les coupables s'en fichaient éperdument. Les projets de mariage qu'ils faisaient pour l'été suivant leur donnaient bonne conscience.

Madame Aubé qui se disait très satisfaite de la compétence et du rendement de Lucie, embaucha sa cousine, Monique, comme autre serveuse au restaurant. Puisque les cousines étaient originaires du même endroit, leurs amis, Bernard et Claude, venaient ensemble leur rendre visite à Cunday.

Les dimanches devinrent des journées encore plus agréables pour les filles et leurs compagnons qui s'offraient à quatre des sorties plus longues et plus divertissantes. Un pique-nique, parfois devenait l'occasion idéale pour faire plaisir aux enfants Aubé. Ces derniers se faisaient une joie de voyager à l'arrière, dans la boîte du petit camion.

Sur semaine, les jeunes filles accomplissaient leurs tâches et ensuite, elles partageaient la même chambre pour le repos et pour la nuit. Il en fut ainsi jusqu'au jour où Monique se retrouva enceinte et qu'elle dût quitter son emploi. Cet événement fit scandale chez les Aubé pour qui le respect des règles et de la pratique de la religion catholique passait avant tout.

Le dimanche, la famille entière était obligée d'assister à la messe. Les petits derniers, Nelson, Pierre et Jeanne, âgés respectivement de cinq, quatre et deux ans, n'étaient pas exemptés de cette obligation religieuse.

Pendant la cérémonie, comme tous les enfants de leur âge, les bambins riaient en sourdine et se tiraillaient un peu, malgré les regards sévères que leur jetait le père à l'occasion. Un jour, ce fut trop : soudainement, le garagiste agrippa Nelson par un bras, le tira en vitesse à l'extérieur de l'église pour lui donner une retentissante correction.

Une telle fessée dont les claquements battaient la mesure avec le sermon du curé, le tout ponctué par les pleurs de l'enfant, ne pouvait passer inaperçue. Et tout en le prévenant de cesser ses lamentations afin de ne pas déranger les fidèles, le père administra encore quelques gifles supplémentaires pour faire taire le rejeton avant de le traîner à l'intérieur et de l'asseoir sans ménagement sur le banc où le petit continuait de hoqueter et de ravaler ses larmes. La leçon avait bien servi aux autres qui se blottirent bien sagement au fond du banc pour le reste de la messe.

Mais avec les enfants, rien ne dure, aussi les étourderies recommençaient tous les dimanches et personne parmi les fidèles ne semblait outré des agissements du père lorsqu'il perdait patience. Seule Lucie se révoltait intérieurement et cultivait de semaine en semaine, un sentiment de haine envers ces parents si durs.

L'été tirait à sa fin. Les champs avaient mûri depuis longtemps et seuls quelques cultivateurs retardataires conservaient des parcelles de champs non fauchés. L'automne s'annonçait beau et froid.

Ce dimanche-là, Lucie s'était levée tôt comme à l'habitude et tout en préparant le thé qui ne serait bu qu'après la messe, elle jeta un oeil dehors par la fenêtre de la cuisine. Le ciel était d'un bleu profond et le soleil levant dorait les arbres du bois voisin. Tout était calme dehors, et au-dedans, on n'entendait que le sifflement de la bouilloire.

Cette tranquillité fut cependant rompue par la ribambelle d'enfants qui sitôt éveillés dégringolèrent l'escalier en riant et en criant, tous heureux de ce matin de congé. Les parents ne tardèrent pas à se montrer eux aussi. La mère avait dormi avec les enfants et le père revenait du garage pour faire sa toilette avant la messe.

— Ça fait du bien de s'décrotter un peu, constata-t-il avant de se plonger la tête dans la cuvette remplie d'eau pour rincer le savon dans ses cheveux et sur son visage.

Quand il se releva, tout dégoulinant, sa main chercha la serviette qu'il avait posée sur la tablette de l'évier, près du bassin.

— Ben, voyons don! Ousse qu'elle est?...

Et tâtonnant de plus belle :

— ... Où est c'maudite serviette-là? Maudit, j'ai du savon dans l'oeil astheure! Lucie, veux-tu ben m'dire où est la serviette? Va m'en chercher une autre!

Le garagiste commençait à être sérieusement exaspéré, aussi Lucie s'empressa-t-elle de s'exécuter. Fatigué de sa nuit de travail, le père n'avait pas beaucoup de patience ce matin-là, c'est donc avec colère qu'il réagit lorsqu'il se rendit compte que c'était Pierre, le plus jeune, qui avait dérobé la serviette pour lui jouer un tour. La plaisanterie tourna au vinaigre et le petit reçut une magistrale fessée.

— Ça va lui apprendre! vocoféra-t-il en jetant un regard courroucé aux autres jeunes.

— J'me demande ben c'qu'on va faire avec ces petits monstres-là! se plaignit la mère. I sont assez tannants à matin! J'ai ben peur qu'on va avoir encore du fil à retordre avec eux-aut' à l'église. J'pense que j'vas les laisser icitte, conclut-elle.

— Si vous voulez, j'vas rester icitte avec eux-aut', proposa Lucie.

— Pas question, ma fille, tu viens. T'es pas malade, pis t'es assez grande pour savoir que c'est péché de manquer le messe. Tu viens avec nous-aut'.

La question était tranchée, Blanche Aubé ne supportant pas la contradiction.

— Mais, objecta Lucie, et les petits... on ne peut pas...

— C'est tout vu, coupa madame Aubé, chus habituée, pis eux-aut' aussi, tu vas voir. En attendant, i fait cru icitte, fais un peu de feu dans la poêle. C'est pas parce qu'on les laisse à maison qu'i doivent geler, ces petits-là.

Pendant de temps, les plus vieux finissaient de mettre leurs habits du dimanche et de frotter leurs souliers vernis. Ils aimaient bien le dimanche matin qui leur permettait une fois la semaine de porter leurs beaux vêtements. Au même moment, une scène inusitée se déroulait sous les yeux de la jeune gardienne et femme de ménage.

— Les enfants, vous êtes trop tannants à l'église, vous allez rester icitte, pis vous allez être tranquilles, leur commanda la mère sévèrement.

Blanche Aubé, après avoir sorti trois longues cravates de la garde-robe, disposait trois chaises en demi-cercle près du poêle.

— Astheure, allez chercher vos catalogues pis vos ciseaux, ordonna-t-elle.

Les enfants s'exécutèrent sans rechigner sous l'oeil ahuri de Lucie qui commençait à comprendre ce qui se préparait. Les petits semblaient savoir ce qui les attendait et revenaient bien sagement, sans crainte, auprès de leur mère avec leurs vieux catalogues et leurs petits ciseaux à bouts ronds.

Blanche les assit bien au fond de leurs chaises droites et se mit en devoir de les attacher solidement à mi-corps avec les cravates.

— Comme ça, on sera pas inquiets. Attachés de même, i peuvent jouer, pis on est sûrs qu'i feront pas d'mauvais coups...

Puis, s'adressant à Lucie :

—Donne-leur un biscuit, ça les fera patienter pendant qu'on est partis. Allez, viens, ma fille, on va être en retard à messe...

En franchissant la porte, les deux femmes aperçurent le père et les cinq autres enfants qui prenaient le chemin de l'église. Cette dernière était éloignée de dix minutes de marche de la maison.

— Juste de quoi prendre l'air, lança Paul Aubé qui avait retrouvé sa belle humeur.

Chemin faisant, d'autres paroissiens se joignirent au groupe de marcheurs et bientôt toute la petite communauté prit place sur les bancs de l'église.

A la maison, tout était calme. Jeanne, bien

sagement, avait mangé son biscuit et Pierre n'avait plus grande envie du sien : il n'aimait pas tellement les biscuits à la mélasse, contrairement à Nelson, son aîné d'un an.

— Tu veux pus ton cookie, Pierre? demanda-t-il à son frère. Tu pourrais me l'donner, lui proposa-t-il avec un air de gourmandise.

Mais voilà, il y avait un problème, leur petite soeur occupait la chaise du milieu.

— Jeanne! supplia Nelson, prends le biscuit de Pierre, pis donne-moé-le, sois fine.

Jeanne, toujours obéissante quand on lui parlait doucement, tendit sa main et saisit le reste du biscuit. Elle en profita au passage pour y goûter un peu, mais lors du transfert de mains, le biscuit s'échappa et tomba sur le plancher.

— Espèce d'empotée! lui jeta son grand frère. I est perdu astheure!

Nelson parlait dans le vide car la petite soeur était retournée à son activité favorite qui consistait à déchirer les pages du catalogue pour découper les beaux messieurs et les belles mesdames et les placer en rond sur ses genoux. Pour Pierre, ce petit malheur glissait aussi vers l'oubli à mesure qu'il découpait des formes bizarres dans ses pages à lui.

Cependant, la gourmandise de Nelson lui faisait imaginer toutes sortes de stratagèmes pour récupérer le morceau de biscuit. Il avait bien tenté d'étirer sa jambe, mais il n'était pas assez grand. L'idée la plus ingénieuse lui vint : elle consistait à renverser sa chaise. En poussant d'un coup sec sur la chaise de sa soeur, il réussit à se mettre en déséquilibre et à tomber sur le côté. Il fut heureux de n'avoir aucune bosse et il était dans la bonne situation pour s'emparer du reste du biscuit. Mais, en même temps, il se retrouvait dans une position déplaisante.

Son frère et sa soeur riaient de le voir gigoter sur le sol et tenter de s'accrocher à quelque chose de solide pour se relever. Seul, le poêle présentait un point d'appui, mais il était impossible de s'y agripper sans se brûler.

Philosophe par nécessité, Nelson en prit son parti et décida de passer le temps de son mieux. Ses frères aînés lui avaient appris à fabriquer des avions de papier. Il s'amusa donc à en façonner pour les lancer un peu partout dans la pièce en essayant si possible d'atteindre sa petite soeur et son jeune frère en sournois pour les faire crier...

A l'église, pendant que le curé s'emberlificotait dans un long sermon sur la charité, Lucie ne pouvait s'empêcher de penser aux petits Aubé attachés sur des chaises à la maison. Une furieuse envie lui prit d'y retourner sans demander la permission à quiconque. Mais comment réussir à ne pas se faire remarquer quand on occupe le premier banc? Elle craignait que les enfants ne tombent à la renverse en jouant et qu'ils s'assomment sur le plancher ou qu'ils se coupent avec leurs ciseaux.

A la maison, Nelson avait découvert que malgré sa position précaire, il pouvait bouger un peu. Il s'amusait à déplacer les deux autres et à faire basculer leurs chaises pour les faire crier de peur et les voir tomber eux aussi. Très vite, cependant, il se lassa de ce jeu et il revint à ses avions de papier. Il était inévitable que l'un d'entre eux atterrisse sur le dessus du poêle assez chaud pour l'embraser. Le papier prit donc feu en dégageant une petite flamme colorée qui fascina les deux enfants toujours sur leurs chaises. De sa position inclinée, Nelson n'avait rien vu mais Pierre s'était exclamé :

— Wow! C'est beau! Fais-le encore, Nelson!

Encouragé, le frère redoubla d'adresse pour atteindre le dessus du poêle, mais le seul résultat qui s'offrait à lui grâce à son manège, c'était les petits morceaux de papier carbonisé qui retombaient par terre.

Comme il désirait mieux jouir du spectacle qu'il donnait, Nelson imagina, dans sa petite tête d'enfant de cinq ans, de confectionner un long et fin tube de papier roulé dans les pages de son catalogue et qui lui permettrait d'atteindre l'orifice d'aération du poêle dont la glissière n'était pas complètement fermée. Par l'ouverture, on voyait rougeoyer les braises que le petit tentait d'atteindre avec son tube. A force de patience et d'astuce, il y parvint.

— Regardez! J'ai une grande allumette, la plus grande du monde! lança joyeux, l'enfant.

Les petits battirent des mains devant l'exploit de leur frère. Le feu consuma le bout de papier qui, roulé très serré, s'éteignit assez rapidement. Le jeu continua et le papier noirci s'accumula autour des enfants.

Nelson recommençait à faire des allumettes et s'arrangeait pour qu'elles brûlent le plus longtemps possible.

— Regardez vous-aut', celle-là va brûler beaucoup! s'exclama-t-il, toujours penché sur le côté, au ras du plancher, en enfonçant dans la fente du poêle une longue baguette de papier froissé qui s'embrasa immédiatement. Le petit téméraire riait de voir les belles flammes qui s'avançaient vers sa main, mais lorsque la chaleur fut trop vive, il lâcha prise et le papier enflammé tomba parmi les autres bouts de papier déchirés des catalogues sur le sol et qui avaient servi aux découpures.

En quelques secondes les rires s'étaient transformés en cris de terreur devant les flammes qui couraient partout, léchaient les pattes de leurs chaises et atteignaient leurs vêtements. Les grands rideaux en matière plastique ornant les fenêtres se consumèrent en avivant les flammes qui ravageaient à présent le vieux canapé et s'attaquaient au papier peint. Un tourbillon de flammes montait de la pièce d'où provenaient les hurlements des enfants et les craquements sinistres de la maison.

Les clochettes annonçèrent la fin de la messe et le prêtre bénit ses ouailles : «Ite missa est».

Sur le chemin du retour, tous avaient le coeur léger, heureux du devoir accompli. On s'en retournait vers le foyer avec, à l'esprit, le bon repas que l'on dégusterait bientôt.

C'est le vieux Johnson, celui qui prédisait toujours la température en observant les oiseaux, qui le premier vit la fumée dans le ciel.

— Eh! R'gardez! On dirait que ça brûle là-bas. Ça serait-y au village?

— Non, le père, rétorqua quelqu'un, on dirait plutôt qu'c'est du côté du vieux Tom. I doit faire brûler ses abattis.

De loin, sur la route, on pouvait apercevoir deux jeunes gens courant à toutes jambes vers les fidèles qui sortaient de l'église. Le visage rouge, à bout de souffle, l'un d'eux laissa tomber ces mots :

— Monsieur Aubé! C'est chez vous!

Le garagiste blêmit.

— Mon garage?

L'adolescent hors d'haleine, ne pouvant plus parler, ne put que se relever car il s'était écrasé sur la pelouse devant l'église, leva son regard atterré vers Paul Aubé et finit par articuler :

— Non! en hochant la tête.

Lucie ne put réprimer un cri d'horreur et elle tomba évanouie au travers du chemin, mais personne ne fit attention à elle, trop occupés qu'ils étaient à courir vers l'affreux brasier...

LA SAINT-JEAN-BAPTISTE (JUIN 1968)

Jocelyne Perreault-Hubert

Il y a des événements qui laissent dans le coeur une trace profonde, un peu comme un glacier laisse la marque de son passage. Il est vrai que je suis d'une sensibilité particulière, d'où peut-être ce don que j'aie d'entrevoir l'avenir et de comprendre le présent.

En juin 1968, nous nous préparons, ma soeur et moi, à partir pour assister au défilé de la Saint-Jean-Baptiste.

Maman nous a préparé des sandwichs et des rafraîchissements.

De la rue Sherbrooke, près du Parc Lafontaine, je me faufile à travers la foule nombreuse en jetant un coup d'oeil pour voir si Justine (c'est ma soeur) me suit toujours. Nous avons comme but de nous trouver un bon poste d'observation le plus près possible du défilé. Nous entendons le bruit des chars allégoriques. Pendant les semaines passées, la radio et les journaux ont abondamment parlé du nouveau Saint-Jean-Baptiste qui sera représenté par la statue d'un saint Jean adulte plutôt qu'enfant selon la Tradition. Ce ne sera donc plus le petit garçon blond et bouclé dont nous étions habitués. C'est pour représenter la maturité que le Québec a acquis au cours des dernières années au plan international car nous le savons bien, nous entrons dans l'ère de la révolution tranquille, révolution en préparation depuis plus de dix ans mais d'une façon subtile.

Pour ma part, l'idée d'un char avec un Saint-Jean-Baptiste adulte me paraît idiote. Enfant, il a plus de sens pour nous, mais nos brillants penseurs en ont décié autrement. Le problème des Québécois, c'est qu'ils cherchent toujours à se renier eux-mêmes. Un vieux complexe de colonisés; quand nous avons le malheur d'oublier, Ottawa nous rappelle sans gêne aucune...

Toujours est-il que Justine et moi, nous sommes enfin installés au bord de la rue Sherbrooke, surexcitées d'être mêlées à cette foule dense. Nous nous assoyons en bordure du trottoir, tout près d'un couple âgé installé confortablement dans deux chaises de parterre. Le vieillard nous jette un oeil désabusé en nous disant :

— Espérons que les séparatistes ne nous bloqueront pas la vue parce qu'on parle qu'ils sont en beau maudit après le gouvernement fédéral!

Il est treize heures et on devrait apercevoir les premiers chars allégoriques vers quatorze heures. Pour tromper notre attente, je jette un coup d'oeil autour de moi. A mes côtés, une jeune femme s'amuse avec son bébé dans un pousse-pousse. Je ris aux larmes parce que le bambin a des mimiques et des gestes tellement, tellement drôles : un véritable petit acteur. A ma gauche, ce sont deux jeunes amoureux qui s'embrassent tendrement. J'ai envie de leur fredonner la chanson de Mouloudji : «L'amour est au rendez-vous...», mais j'ai peur que cela paraisse un peu déplacé, tout de même. Plus loin, quelques jeunes dansent au son d'une radio.

Il y a un air de sérénité, ce beau jour d'été et j'en suis toute émue. Pour tromper le temps, je partage un sandwich et une limonade avec Justine.

L'heure d'arrivée du défilé approche et les gens sont de plus en plus anxieux, on s'étire le cou pour tenter d'apercevoir les Majorettes de Longueuil qui commencent le défilé.

Tout à coup, nous percevons la musique d'une fanfare au loin, indistincte tout d'abord, puis de plus en plus forte. Une auto-patrouille fend la rue et annonce que nous allons enfin voir apparaître le premier char. Et voilà le défilé tant attendu passant sous nos yeux.

Le spectacle en vaut la peine, les tableaux rutilants montés sur roues, les fanfares, les majorettes toutes plus colorées les unes que les autres ainsi que les clowns en quantité s'exhibant devant nous. Nous applaudissons et crions notre contentement.

Le char de Saint-Jean-Baptiste arriver. Il est ridicule! Le personnage adulte est trop réaliste. Scs traits son grossiers. Il n'y a rien pour émouvoir si ce n'est qu'une statue de carton-pâte. Nous fermons les yeux de dégoût et pour oublier ce spectacle, Justine et moi, nous nous prenons la main et chantons : «A la claire fontaine...», mais nous sommes interrompues par une bande de révoltés qui entonnent : «O Canada» à notre surprise et à notre désagrément. Aussitôt, un groupe de jeunes se placent derrière le char représentant des Québécois. Ils sortent des pancartes où l'on peut lire en grosses lettres malhabiles des slogans indépendantistes. En même temps, ils scandent :

«Québec, Québec, mon vrai pays!»
«Vive le Québec libre!»

La cohue devient dangereuse et tout à coup, je me sens poussée, bousculée violemment. J'attrape Justine par la taille dans un geste protecteur pour empêcher que nous soyons séparés. Nous sommes entourées de hurlements et de cris. L'affolement nous saisit. Je crie à Justine de faire attention de ne pas tomber car nous serions sans doute piétinées jusqu'à ce que la mort s'ensuive. Je suis toute étonnée tant la foule colérique nous paraît incontrôlable. Nous parvenons tant bien que mal jusqu'à la rue Sainte-Catherine toujours poussées par le mouvement des gens hystériques qui ont tôt faits de s'attaquer aux vitrines des magasins qui volent en éclat. Des pilleurs entrent, prennent des objets, des vêtements et repartent à la course. J'ai l'impression de visionner un film au ralenti.

Soudain, les sirènes des autos-patrouilles mêlées à celles des systèmes d'alarme avec leurs sons criards envahissent la rue semant la confusion et le désordre.

Je tiens toujours Justine par la main et soudain j'aperçois une porte entrouverte. Je m'y faufile suivie de Justine, éberluée. Un homme d'un certain âge, à la longue barbe blanche, se tient derrière la porte à demi-ouverte. Je le supplie de nous laisser entrer. Il m'attrape et nous tire vivement toutes les deux dans son magasin.

Nous pleurons d'énervement et de peur dans les bras de cet homme compatissant qui semble lui-même dépassé par les événements. Avec gentillesse, il nous conduit dans ses appartements situés en arrière de sa boutique. Je réalise soudain que je ne connais pas cet homme, aussi vieux soit-il j'ai peut-être commis une imprudence... Cependant, j'ai tôt fait d'être rassurée par sa bonté. Pendant que nous parviennent encore les rumeurs de la rue, il nous prépare un lait au chocolat. Sur les murs autour de nous, il y a plein de photographies illustrant la seconde guerre mondiale.

Le vieil homme, une fois les tasses fumantes devant nous, se livre aux confidences :

— Je m'appelle Vladimir, je suis Juif et j'ai vécu des scènes semblables en Pologne...

Sa voix se voile.

—... Nos maisons ont été saccagées, ensuite les Allemands...

Il s'arrête de parler et continue sur un autre sujet.

— Avez-vous remarqué, les demoiselles, que nous Juifs nous ne maudissons jamais nos persécuteurs? C'est que nous sommes convaincus que les mauvaises gens se maudissent elles-mêmes...

Il recommence sa phrase laissée en suspens :

— ... les Allemands donc nous ont emmenés dans des camps de concentration où nos misères et nos tortures ont commencé.

Justine et moi, nous l'écoutons sans faire de commentaires parce que nous partageons sa tristesse. Parfois, un frisson nous agite car réellement tout à l'heure dans la rue, nous avons vraiment eu peur. Mais brusquement les bruits et les éclats de voix ont cessé sur la Sainte-Catherine, ce qui nous rassure un peu. Le calme semble enfin être revenu.

Nous jetons par la fenêtre un coup d'oeil furtif dans la rue. Elle semble déserte. Nous sommes indécises. Est-il prudent de se rendre chez nous?

Vladimir nous conseille de rester chez lui pour la nuit, même s'il n'est que vingt et une heures. Nous acceptons avec reconnaissance et il sort deux paillasses d'un cagibi et il nous prépare des lits par terre. Nous avons peine à fermer l'oeil tant nous sommes dépassées par les événements que nous venons de vivre.

Justine, tremblante, me demande :

— Est-ce que c'est la révolution?

— Mais non, voyons, c'est seulement certains Québécois qui en ont assez de vivre sous la tutelle des Canadiens-anglais et surtout d'Ottawa. J'aurais pas voulu être dans la peau du Premier ministre Trudeau; j'espère qu'ils ne l'ont pas massacré même s'il le mérite!

— Comment sais-tu cela, toi?

— Voyons, Justine, réveille-toi. C'est pas parce qu'on vient de l'Abitibi qu'on est des dindes! Tu ne penses qu'à faire l'amour avec ton grand frisé! Tu ne t'es pas aperçue de rien ces derniers mois? Le Ralliement pour l'indépendance du Québec, le RIN, ça ne te dit rien?

— Si tu penses que ça m'intéresse la politique! J'ai assez de mes études et de Martin à penser. Tout ce que j'ai retenu, c'est que Marcel Chaput a jeûné pour qu'Ottawa respecte certains droits des Québécois.

— Je suppose aussi que tu as entendu dire que Réal Caouette, notre Réal créditiste de l'Abitibi, a réussi à faire mettre du français sur les chèques de pensions de vieillesse!

— Nous pouffons de rire toutes les deux. L'inconfort de notre situation ne nous échappe pas cependant.

Justine est inquiète et elle me confie :

— Si jamais papa et maman ne nous voient pas rentrer, ils vont appeler la Police, c'est sûr.

Elle se lève et va à l'appareil téléphonique sur un petit guéridon. Aucune tonalité. Même le téléphone est en dérangement!

Je lui dis :

— De toute façon, ce n'est pas pour cette raison qu'on va se lancer à travers les rues après ce qui vient de se passer... Qui nous dit que nous ne frapperions pas une poche d'émeute sur la route de la maison?

Nous décidons d'essayer de dormir, ce qui n'est guère facile dans un milieu étranger après les émotions que nous venons de vivre.

Dès huit heures le lendemain matin, nous sommes sur pied. Vladimir est rayonnant de bonne humeur. Il nous cuisine ds oeufs frits qu'il dépose sur du pain juif, rond, brun et dur. Il nous renseigne, tout en mangeant avec nous :

— Mes jolies, le téléphone est coupé dans notre secteur. Il n'est pas question que vous partiez seules. Je vais aller chercher mon garçon, il demeure à quelques pâtés de maisons d'ici. C'est lui qui va vous raccompagner chez vous.

Il sort. Pendant son absence, nous discutons encore de la journée d'avant. Mon Dieu! nous allons nous en souvenir de cette fête de la Saint-Jean-Baptiste! Nous sommes en maudit contre les têtes heureuses qui ont tronqué le petit enfant au mouton, symbole de notre peuple, contre un horrible personnage en carton-pâte avec des airs d'adulte sous prétexte que les Canadiens-français voulaient une nouvelle image de maturité. Je dis à Justine, étonnée :

— De la révolution tranquille, nous sommes peut-être passés à la révolution armée. Espérons que je fais erreur.

— Mon Dieu, que tu es pessimiste! Moi, je crois plutôt que ça n'a été qu'un mouvement d'humeur qui n'aura aucune suite, tu sauras me le le dire, Rosalie.

Je souhaitai dans mon for intérieur qu'elle ait raison.

Vladimir arriva avec son fils. Nous nous émerveillons de sa jeunesse et de ses beaux yeux. Un vrai beau jeune homme aux épaules larges, âgé d'environ vingt-cinq ans, ce qui nous rassure énormément pour le retour à la maison. Il se nomme Youri. Nous sortons avec lui de l'accueillante boutique et là, nous sommes saisies par les dégâts laissés dans la rue : l'asphalte est jonchée de débris de toutes sortes, les vitrines sont fracassées, les magasins sont vidés de toutes leurs marchandises. On se croirait après le passage d'un ouragan.

Nous marchons parmi les objets brisés que les gens dans leur folie ont jetés ici et là. Vladimir nous reconduit jusqu'au camion de son fils. Non sans avoir auparavant pris soin de nous donner son numéro de téléphone; nous lui sommes bien reconnaissantes de nous avoir accueillies. Sans lui, que serions-nous devenues?

Rendues à destination, nous avons à peine ouvert la porte de l'appartement que maman se jette sur nous en éclatant en sanglots et elle nous serre très fort dans ses bras. Après lui avoir raconté notre aventure, elle embrasse Youri et le remercie avec effusion en lui disant sa reconnaissance envers son père, Vladimir.

Et le dimanche suivant, notre mère invite à souper Vladimir et son fils, le beau Youri. Pendant le repas, nous flirtons avec le jeune homme qui nous retourne nos regards et nos sourires. Vladimir est heureux de connaître des vrais Québécois, chose qui ne lui est jamais arrivée depuis son arrivée au Canada. Papa est enchanté de cette visite à qui il offre une pipe sculptée de ses mains adroites en remerciement du geste qu'il a posé à notre égard.

Vladimir est intarissable, il raconte comment il nous a recueillies à sa porte et il enjolive le tout d'une façon si fine que Justine et moi, nous jugeons inutile de le reprendre. Manifestement, il est heureux de notre rencontre.

Maman lui dit :

— Quand je descendrai dans le bas de la ville, j'irai vous acheter quelque chose car d'après mes filles, vous êtes une sorte de fripier ou antiquaire...

— Je serais bien déçu que vous veniez visiter Vladimir suelment pour cela, chère madame! Venez pour remplir mon coeur de joie par votre visite.

Maman est émue par tant de gentillesse et papa qui ne sait pas quoi dire, remercie le père et le fils à sa manière très abitibienne :

— Vous êtes les premiers Juifs que nous connaissons mais prenez-en ma parole, s'ils sont tous comme vous, j'aimerais bien connaître et recevoir à ma table tous les autres Juifs de Montréal.

J'interromps mon père :

— Mais papa, maman aussi est Juive!

Sur ces mots, Vladimir enlace maman respectueusement et lui baise chacune des joues. Il est en confiance et il nous raconte sa vie en Europe. Il évoque avec beaucoup de nostalgie ce passé marqué par la souffrance et aussi par des moments de bonheur.

C'est le début d'une profonde amitié. Youri me demande pour les journées achalandées de l'été de venir lui donner un coup de main dans le petit magasin de son père. Ce que j'accepte de bon coeur. On y vend des vêtements et des objets disparates, un vrai capharnaüm. Vladimir va souvent en tournée dans les campagnes autour de Montréal et il déniche souvent dans les vieilles remises l'objet rare qui s'apparente à une antiquité. Souriant, dans sa vieux camion Ford, il débarque tout ça dans sa boutique.

Quelques jours, je me rends dans cette même boutique et avec Youri, je prends le temps de frotter tous ces objets pour ensuite les étaler pour la vente. J'aime ce travail et la camaraderie de Youri me plaît énormément.

Quelque temps après, nous retournons en Abitibi, à Sullivan. Mais souvent ma pensée revient vers Montréal où vivent toujours Vladimir Ogonov et son fils Youri...

L'HOMME DU PARC

Valérie Poisson

Tous les matins, dans un parc au centre de la ville, un homme vêtu de vêtements bien repassés, d'un pantalon bien ajusté et d'une chemise bien boutonnée, prenait sa marche quotidienne. Du moins, je le crus.

De ma fenêtre, j'avais commencé à l'observer car, depuis quelque temps, il m'intriguait. Je ne réussissais pas à comprendre la raison de ses longues marches. Les faisait-il pour se tenir en forme, pour observer les rares oiseaux qui persistent à vivre dans la pollution, venait-il pour rencontrer quelqu'un ou vivait en catimini dans le parc? De toute évidence, je ne le savais pas, mais je tenais à le savoir.

L'été passa et l'homme bien vêtu avait toujours été fidèle à ses marches matinales. Que les journées fussent ensoleillées, sans aucun nuage à l'horizon, brumeuses ou encore pluvieuses au point que l'eau ruisselât dans les rues, que le gazon fût tout mouillé, alors que personne ne se risquaient à mettre le nez dehors et que même les chiens n'étaient pas visibles, l'homme était toujours là. Il devait sûrement avoir une bonne raison de d'arpenter la pelouse si tôt le matin, alors que la rosée étoilait encore les herbes et que la terre était encore fraîche.

L'hiver se présenta et la première neige recouvrit le gazon du parc, les rues et les trottoirs étaient blancs, les autos de ceux qui n'étaient pas encore partis travailler, étaient disparues sous la froide envahisseuse. J'étais donc dans ma fenêtre comme à tous les matins à attendre l'apparition de l'homme, mais ce jour-là, il ne se présenta pas. J'en fus un peu déçue car je m'étais habituée à sa présence et j'avais l'impression de le connaître depuis toujours. Je décidai donc de descendre jusqu'au parc pour voir si l'inconnu n'avait pas emprunté un autre chemin. Je me vêtis donc de mon manteau, j'enfilai mes bottes et je mis mes mitaines, car j'avais peur d'avoir froid. Je descendis les escaliers deux par deux pour épargner du temps en oubliant surtout pas de bien fermer la porte derrière moi parce que, une fois, j'avais oublié cette précaution élémentaire et deux chats errants en avaient profité pour entrer et s'installer! Je m'informai auprès de quelques itinérants affamés et frileux qui traînaient sur les lieux, mais ils me regardèrent de leurs yeux salis par une nuit blanche au double sens de ce mot sans me dire quoi que ce soit. Je cherchai des yeux l'homme pendant de longues minutes sans l'apercevoir.

Je rentrai chez moi, déçue, en même temps que je m'interrogeais. Où était passé l'inconnu et pourquoi est-ce que j'étais seule à avoir remarqué sa présence?

L'hiver passa et je n'aperçus pas une seule fois l'homme qui aimait prendre de longues marches devant mon appartement.

L'arrivée du printemps fut pour moi une journée de plus à rayer sur mon calendrier et ce fut tout.

Un matin, le soleil plus éclatant que d'habitude me força à me lever. Mon premier geste fut de me diriger vers la fenêtre pour l'ouvrir et respirer l'air du matin. Je restai figée, stupéfaite. L'homme se promenait de nouveau dans le parc. Il marchait lentement et il était toujours vêtu avec autant de recherche. Je me sentis heureuse, mon coeur battit de contentement et je me sentis légèrement énervée. La simple vue de cet homme me bouleversait, mais je pense bien que c'était ma curiosité qui me causait cet effet. Il fallait que je sache pourquoi il venait, pourquoi il avait été si longtemps absent. Je fis donc un brin de toilette pour ne pas manquer le passage de l'inconnu et j'enfilai mes vêtements à toute vitesse. Je descendis les escaliers quatre à quatre et j'accourus dans le parc.

Je l'aperçus, il s'était assis sur un banc tout près d'une statue qui représentait je ne sais plus qui. Je m'approchai discrètement et je m'assis tout près de lui. J'étais mal à l'aise de cette intrusion dans sa vie. Je voulus me lever et faire demi-tour et, par le fait même, laisser en suspens la question que je brûlais de lui poser depuis si longtemps. Mais ma curiosité était si vive que la question sortit toute seule de ma bouche :

— Pourquoi prenez-vous des marches si souvent avec autant de régularité?

Allait-il me répondre ou me laisser en plan? Je me sentis honteuse et je baissai les yeux sur le gravier de l'allée. J'étais dans tous mes états et la gêne me rendait nerveuse.

L'homme se tourna et me regarda dans les yeux. Son regard doux était si prenant que je ne pus l'éviter. Il signifiait : fatique, découragement, tristesse. Il me prit gentiment la main et me répondit d'une voix lointaine, pleine de douceur :

— Une fois, il y a bien longtemps, je suis venu dans le parc. Je les ai perdus et depuis je les cherche toujours...

Qu'avait-il perdu dans le parc de si important qu'il venait tous les jours pour retrouver cette chose ou ces choses? A cause de cette lancinante interrogation, je me sentais pleine de trouble. Puis, à ma grande déception, il se leva et s'en alla d'un pas incertain comme s'il avait de la difficulté à marcher. Je le détaillai de la tête aux pieds pour connaître la raison de cette démarche qui semblait si pénible. Je compris soudain. Je le suivis des yeux jusqu'à ce qu'il ne fut plus qu'un point minuscule et qu'il disparut au coin d'une rue.

Je venais de comprendre brusquement quelque chose d'inouï : l'homme était pieds nus...

L'ESCALIER DE LA VEUVE BILODEAU

Daniel St-Germain

A cette époque-là, nous formions une famille heureuse. Papa travaillait à la mine tandis que maman, comme toutes les mamans, préparait les repas, faisait son ménage et nous aidait dans nos devoirs scolaires. Un troisième enfant Ouellet était en route, comme en faisait foi la proéminence de son ventre qui bombait l'éternel tablier à carreaux qu'elle semblait porter depuis toujours.

Nous venions d'arriver à Val-d'Or et nous habitions au sous-sol d'une vieille et grande maison à deux étages dont l'arrière donnait sur une vaste cour et un hangar communautaire. Le rez-de-chaussée était occupé par les propriétaires, monsieur et madame Leblanc, et leurs deux enfants avec lesquels nous nous amusions souvent. En haut, tout en haut du long escalier de bois, vivait la veuve Bilodeau, femme imposante et mystérieuse qui, au début, nous avait un peu intimidé.

Nous n'étions pas loin de la petite épicerie Cossette où nous allions, mon frère Paul et moi, nous acheter des boules noires, des lunes de miel et de la gomme "baloune" quand maman nous allouait notre modeste allocation hebdomadaire. Chanceux, nous n'avions qu'à traverser la rue pour bénéficier des avantages d'un petit bois où nous allions nous construire des cabanes branlantes et jouer aux cowboys. Nous étions heureux.

Mon père n'était pas trop sévère, contrairement à celui de mon ami Clément qui ne se gênait pas pour lui administrer de mémorable fessées. Je considérais maman comme la plus gentille de toutes les mamans du monde. Je n'aurais jamais pu trouver mieux.

A l'école, j'obtenais des bonnes notes et j'avais beaucoup de bons copains. La maîtresse était douce et compréhensive.

Oui, en effet, je crois que nous formions une famille heureuse. Du moins, moi, Simon Ouellet, j'étais heureux. Aucun nuage n'était venu, jusqu'ici, troubler la sérénité de mes dix ans. Oui, j'étais heureux. Pourtant...

Cette année-là, vers la fin du mois d'avril, maman entra en douleurs et papa dut la conduire à l'hôpital. Pour s'occuper de nous pendant cette absence, mes bons parents avaient pris des arrangements avec madame Bilodeau qui devait voir à la préparation de nos repas. Il était entendu qu'elle coucherait à la maison quand papa serait de quart de nuit.

La veuve Bilodeau était grande, grassouillette, bien en chair, tout l'opposé de maman qui, elle, était de petite taille et quelque peu malingre. Cette nouvelle gardienne était, comme on disait, une femme corpulente. Elle avait le verbe haut et le rire facile et les gens du quartier disaient d'elle qu'elle était une bonne vivante. Elle avait les doigts chargés de bagues et ses pantoufles à bouts ouverts nous laissaient apercevoir ses gros orteils boudinés aux ongles peints en rouge, aussi rouge que le rouge épais qu'elle se mettait sur les lèvres. Elle se maquillait outrageusement, et une forte odeur d'eau de Cologne bon marché flottait paresseusement autour de sa personne. Pour nous, les enfants, elle semblait sortie directement d'un magasine de cinéma américain, comme de ceux que l'on voyait dans les longs supports en métal près du comptoir de l'épicerie Cossette. Mon oncle Octave l'avait déjà qualifiée de "belle créature".

Des complications survenues lores de l'accouchement forcèrent maman à demeurer à l'hôpital ùn peu plus lontemps que prévu.

La première semaine, papa travaillait de nuit, de minuit à huit heures. Madame Bilodeau arrivait vers onze heures du soir pendant que nous dormions. Le lendemain matin, elle préparait notre déjeuner et nous avions à peine le temps d'embrasser papa qui revenait du travail, que déjà il nous fallait partir pour l'école. Papa mangeait un peu puis il allait se coucher. Notre gardienne lavait la vaisselle et mettait de l'ordre dans la maison avant de remonter chez elle. Elle ne revenait qu'en fin d'après-midi pour le repas du soir. C'est ce qui avait été entendu. Durant ces quelques jours, nous avions obtenu la permission de dîner à l'école avec les élèves provenant des campagnes.

La semaine suivante, papa travailla de jour. La madame d'en haut, comme nous l'appelions aussi, ne venait que pour faire la lessive et le ménage.

Une nuit, je fus tiré de mon sommeil par un bruit inusité, un craquement effrayant qui me laissa, pendant de longues secondes, sous la très nette impression que j'avais été victime d'un cauchemar. Mais non, je réalisai assez vite que le bruit provenait de l'extérieur de la maison car il se fit de nouveau entendre. Le soupirail de la chambre que j'étais seul à occuper donnait sur la cour arrière et je n'eus qu'à grimper sur ma chaise pour jeter un coup d'oeil à travers la vitre. Le long escalier de bois découpait sa silhouette sinistre à travers la lueur blafarde d'une pleine lune flottant froidement dans un ciel clair. Rien de plus terrifiant pour un garçon de dix ans que de voir un escalier par en-dessous, surtout si l'imagination vagabonde encore entre le sommeil et l'éveil. Je scrutai la cour mais ma brève inspection ne me permit pas de découvrir quelqu'indice qui m'aurait indiqué la provenance exacte de ce craquement qui, m'avait-il semblé, avait fait trembler la maison entière. On était au printemps et les clous de la vieille maison de bois avaient depuis longtemps cessé de péter sous l'emprise du froid. Donc...

Je restai ainsi à ma fenêtre pendant de longues minutes. Je vis, dans la nuit claire, passer ce que je crus être une énorme chauve-souris qui zigzagua en direction du hangar. Puis ensuite, j'en suis presque certain, j'aperçus une ombre se profiler sournoisement quelque part au fond de la cour. Il me sembla que la vague silhouette entrevue portait une cape et un chapeau hautde-forme. Mais je n'en suis pas sûr maintenant. Dans ma petite tête de garçon de dix ans, seul quelque fabuleux personnage avait pu ainsi troubler la quiétude de la nuit. Dracula, peut-être?

La nuit suivante, je fus de nouveau réveillé par le même bruit sinistre. Encore une fois, je grimpai sur ma chaise. Mais cette fois-là, personne, ni homme ni bête. Les aiguilles lumineuses de mon "Westclock" indiquaient minuit tapant, l'heure de la mort et de la vengeance. La maison était-elle hantée?

Quand, pour la troisième nuit consécutive, les mêmes craquements se répétèrent, je fus alors saisi d'une terreur sans borne et j'allumai la lumière avant de retourner vivement au lit. Après quelques minutes, ou quelques heures, je ne sais plus trop, les bruits recommencèrent. Je demeurai sur le quii-vive, l'oreille aux aguets, mais je finis néanmoins par m'assoupir légèrement. Je fus tiré de ma somnolence par l'entrée de mon père dans ma chambre. Il était tout habillé.

— Tu ne dors pas encore, toi? me dit-il, surpris.

— Non, fis-je simplement.

J'essayai tant bien que mal de masquer la peur et l'angoisse qui me nouaient l'estomac, évitant de lui faire part de mes frayeurs pour lui prouver que je n'étais plus un bébé-lala.

— Ferme ta lumière et couche-toi tout de suite, m'ordonna-t-il d'un ton que je ne lui connaissais pas. Tu vas avoir de la misère à te lever demain matin.

Sur ces paroles, il quitta la pièce en refermant la lumière et je l'entendis se diriger vers sa chambre.

Deux jours plus tard, maman revint à la maison avec notre nouveau petit frère Alain. Tout à la joie de contempler le nourrisson et de s'extasier sur sa beauté et sa petitesse, je remarquai néanmois que papa et maman semblaient discuter ferme dans la cuisine. Puis, j'entendis un claquement de porte. Papa était sorti. J'ai eu alors l'impression que maman, ma bonne petite gentille maman, essuyait discrètement une larme. Mais je crois que je n'en suis pas tout à fait sûr.

Durant les jours qui suivirent, je crus remarquer que papa était moins souvent avec nous. Était-ce à cause du bébé qui accaparait toute notre attention? S'absentait-il vraiment plus que d'habitude? J'en passai la remarque à maman qui me répondit que papa était très occupé à faire des heures supplémentaires de travail à la mine.

— Il doit travailler encore plus fort que d'habitude. On a une bouche de plus à nourrir, maintenant, me fit-elle comme réponse.

Je remarquai qu'elle avait les yeux tristes. Que se passait-il?

Comme pour me rassurer, elle rajouta :

— De plus, il doit bientôt commencer à travailler sur un nouveau quart, de quatre à minuit. Vous ne le verrez pas souvent.

En arrivant de l'école, un jour, un vendredi, je crois bien, je fus surpris de trouver maman et madame Bilodeau en grande conversation animée dans le petit salon que l'on ouvrait seulement pour les occasions spéciales : Noël, la visite de monsieur le curé... Je ne me souviens plus exactement du sujet de leur discussion mais, à un moment donné, j'entendis maman lui dire, du même timbre de voix qu'elle employait lorsque elle nous grondait :

— En tout cas, madame Bilodeau, je veux que vous laissiez mon mari tranquille. C'est compris? Sinon, j'appelle la Police. Vous n'avez pas le droit de briser ainsi le ménage des autres. Vous m'avez compris?

Au mot de Police, je fus pris de frayeur. La Police? Ici? Et pourquoi maman chicanait-elle madame Bilodeau? Je n'avais pas remarqué que notre gardienne avait brisé notre ménage. Peut-être une des chaises de la cuisine qui branlait un petit peu... mais ce n'était pas une raison pour appeler la Police. Maman exagérait.

J'allais pénétrer dans le salon quand, brusquement, les grandes portes en accordéon s'écartèrent tout à fait pour laisser passer une madame Bilodeau rouge comme son rouge à lèvres, et qui, en quelques longues enjambées, traversa la cuisine et se retrouva à l'extérieur de la maison.

Sur le grand divan fleuri que papa venait d'acheter, maman était assise. De grosses larmes roulaient sur ses joues flétries. Que se passait-t-il, au juste?

— Ce n'est rien, mon grand, me dit-elle entre deux sanglots. Tout va revenir comme avant. Va jouer. Laisse maman tranquille.

Puis, se ressaisissant rapidement :

— Ne t'éloigne pas trop. J'aurai besoin de toi tout à l'heure.

Cette nuit-là, je compris beaucoup de choses. Bien... je ne compris pas immédiatement, mais beaucoup plus tard... je crois. Du moins, j'en ai l'impression.

Il était une heure et quart quand je fus soudainement extirpé de mes rêves d'enfant par les mêmes craquements lugubres maintes fois entendus. Cette fois, malgré une certaine peur, je n'hésitai pas un instant et je grimpai prestement sur la chaise en même temps que j'écartai les rideaux. Un homme montait l'escalier et, l'espace d'une seconde, je crus reconnaître mon père. Mais, je n'en étais pas certain... quoique, à bien y penser, il me semble que c'était bien lui, avec ses grosses bottes et sa boîte à lunch. Il n'était donc pas à la mine, lui qui devait travailler de minuit à huit? Mais non, mais non, je me trompais sûrement. Ce n'était pas lui. C'était impossible. J'avais mal vu. Et puis, que serait-il allé faire chez madame Bilodeau, en pleine nuit? Pourtant... Était-ce bien lui?

Je fus fortement tenté d'aller avertir maman, mais une sorte de pudeur mêlée d'une gêne incompréhensible m'en empêchaient, comme la fois où j'avais surpris le grand Galarneau avec ma petite cousine dans la grange de mon oncle Alfred. Et puis, après tout, je n'étais pas tellement certain qu'il s'agissait bien de papa. Il faisait si noir...

Je décidai d'attendre un peu afin d'en avoir le

coeur net mais je ne tardai pas à me laisser vaincre par la somnolence et je dus redescendre de mon poste d'observation et regagner mon lit douillet.

Aux petites heures du matin, je me réveillai en sursaut, tout bonnement, sans raison apparente. Il faisait déjà clair. J'écartai de nouveau les rideaux et, cette fois-ci, je vis très distinctement un homme ressemblant à papa qui descendait précautionneusement l'escalier, les deux mains appuyées sur chacune des rampes afin, je pense, d'alléger le poids de son corps sur les marches geignardes. Il se retourna brusquement et j'eus l'impression qu'il m'avait découvert, que son regard avait croisé le mien. Vivement, je refermai les rideaux. Était-ce vraiment papa? M'avait-il aperçu? Je descendis de ma chaise, la replaçai en m'efforçant de faire le moins de bruit possible, et me glissai sous les couvertures.

Quelques instants plus tard, la porte de ma chambre s'entrebaîlla doucement et je vis, à travers mes paupières mi-closes, papa apparaître sur le seuil. Je fus enfin fixé : c'était bien lui, l'homme de l'escalier. Je fermai les yeux complètement et j'attendis en faisant semblant de dormir. Pendant environ cinq minutes, papa resta sans bouger. Puis, la porte se referma avec un léger grincement.

Je finis enfin par m'endormir, mort de fatigue.

Lorsque je me réveillai, je sautai immédiatement dans mes vêtements. C'était la veille de mon anniversaire de naissance, la veille de ma fête et j'avais hâte. Les événements de la nuit passée étaient déjà oubliés.

Paul, levé depuis peu, était assis devant son traditionnel bol de céréales, de celles qui offrent un cadeau-surprise que je n'avais pas le goût de lui disputer pour le moment.

Dans la chambre de mes parents, j'entendis chuchoter, d'abord tout doucement, puis de plus en plus fort.

— Tais-toi donc, Charles. Les enfants vont nous entendre!

— Je m'en sacre, entendis-je mon père répondre, tu n'as pas le droit de me soupçonner ainsi. Je te dis que je suis allé travailler. Pour qui me prends-tu, Georgette.

— Je te prends pour quelqu'un qui n'a pas de volonté, répliqua maman en pleurant.

Puis, elle rajouta :

— Arrête donc de crier, tu vas réveiller le petit. Pour une fois qu'il passe une nuit tranquille.

Paul se tourna vers moi, tout étonné, la bouche pleine, du lait lui dégoulinant sur le menton.

Le ton de l'engueulade diminua d'intensité jusqu'à devenir complètement inaudible.

Pourquoi se disputaient-ils ainsi? A cause de la veuve Bilodeau?

Je ne sais pas pourquoi mais une drôle des sensation m'enserra le coeur et j'eus soudainement envie de pleurer. Je me sentais mal. Il me semblait que j'étais de trop.

Je pris quelques biscuits dans la grosse jarre brune et je sortis sans dire un mot, laissant Paul avec ses céréales.

Dans la cour arrière, je me ressaisis assez vite. Il faisait beau et, tout en pensant à mes cadeaux de fête, je songai à lller chercher Clément pour jouer. Le grand escalier de bois semblait maintenant me défier de toute sa puissance. Je ne comprenais pas vraiment toutes ces histoires de grandes personnes. C'était trop pour ma petite tête.

Tout à coup, je vis la veuve Bilodeau sortir de chez elle. Elle s'approcha du garde-fou de la galerie et, du haut de son perchoir, elle me gazouilla :

— Mon petit Simon, voudrais-tu venir ici, s'il te plaît? J'aurais besoin que tu me rendes un petit service.

J'hésitai un peu, mais la perspective de quelques "cennes" de récompense eut vite fait de me faire oublier mon ami Clément et les importantes questions existentielles à propos de papa et de cette madame Bilodeau qui avait brisé nos meubles.

— Oui, madame, répondis-je en m'engageant dans l'escalier branlant.

Pour la première, jc constatai que certaines marches produisaient ce son si caractéristique qui m'avait procuré tellement de fois l'insomnie. En plein jour, il me semblait, qu'après tout, ces craquements n'étaient pas si terrifiants que je l'avais d'abord cru.

Arrivé en haut, quelle ne fut pas ma surprise, ma stupéfaction de découvrir, posée près de la porte de l'appentis, la boîte à lunch de mon père. Oui, oui, c'était bien elle, c'était bien la boîte à lunch de papa, avec sa poignée de cuir que lui avait confectionnée maman et le numéro 324 gravé sur la tôle noire du couvercle. Il n'y avait aucun doute : c'était bien la boîte à lunch de papa.

Je suis sûr que la veuve Bilodeau aperçut mon regard inquisiteur car je remarquai, l'espace d'une seconde ou deux, le pourpre envahir ses joues fardées. Elle resta là, devant moi, mal à l'aise dans sa longue robe de chambre vert pomme échancrée qui laissait facilement entrevoir la générosité de sa poitrine.Je me souviens qu'à ce moment-là, la forte odeur de son maudit parfum ainsi qu'une criarde senteur de bière fétide m'avaient légèrement tourné la tête. Je connaissais bien cette sensation de boisson pour l'avoir souvent humée avec dégoût de la bouche de mon oncle Octave.

Madame Bilodeau pénétra dans sa cuisine pour en ressortir aussitôt avec un petit porte-monnaie noir contenant quelques billets de banque et un bout de papier sur lequel elle avait noté sa commande.

— Tu serais bien fin si tu allais me chercher ces petites choses chez Cossette, me dit-elle, essayant de cacher un embarras dont j'étais, en principe, censé ignorer la raison.

Elle rajouta, à travers son gros rire rouge :

— Tu pourras garder le change pour t'acheter des "nananes". Un petit cadeau en passant...

Puis, se tournant vers la cour, une main posée sur le garde-fou, face à l'escalier, elle fixa l'horizon et me dit encore de sa voix mielleuse :

— Il fait beau, hein, aujourd'hui? Le printemps est arrivé pour de bon. Tu as vu les arbres? Ils ont commencé depuis longtemps à faire leurs petits "minous".

Je réalisai alors que je n'aimais pas cette femme. D'abord parce qu'elle me parlait comme si j'étais un bébé; ensuite, à cause de sa chair qui débordait de partout, et de ses gros orteils indécents; et à cause de ... de ... je ne sais plus trop.

A partir de cet instant-là, je ne sais pas ce qui s'est passé. J'ai eu comme un étourdissement. Je pense que c'était à cause de la senteur; je ne m'en souviens pas. J'étais sur le point de descendre quand, comme dans un rêve, j'entendis un bruit sourd, un cri ou un craquement. Je ne saurais le dire avec précision. Je vis ensuite une masse verte dégringoler le long escalier de bois.

Quelques secondes plus tard, la veuve Bilodeau gisait au pied du grand escalier, sa longue robe de chambre vert pomme échancrée relevée grotesquement jusqu'à la taille, laissant impudiquement voir une petite culotte rouge bordée de fine dentelle noire d'où surgissaient deux cuisses blanches et dodues, un pied nu posé sur la dernière marche, sa tête aux cheveux blond platine reposant presque délicatement sur une des pierres plates du petit trottoir maintenant coloré du liquide écarlate qui s'écoulait doucement de son crâne éclaté.

J'étais figé, sidéré, abasourdi, incapable de poser le moindre geste, soudainement devenu aphone, confronté avec la mort dans sa représentation la plus horrible.

En quelques secondes à peine, la cour fourmillait de voisins et d'enfants surgis de toutes parts, comme par magie. Madame Leblanc courait d'un bord et de l'autre en criant comme une possédée :

— Mon Dieu! Mon Dieu! c'est effrayant! Quel drame! Calvaire de Christ, faites quelque chose!

Je me souviens qu'à ce moment-là, j'étais plus scandalisé par les vociférations de notre propriétaire que par la vision qui s'offrait aux yeux médusés des spectateurs.

Quelqu'un avait appelé la police et l'ambulance. Elles ne tardèrent pas à annoncer leur arrivée par leurs sirènes tonitruantes qui m'impressionnèrent beaucoup.

Monsieur Leblanc, toujours aussi imperturbable, vint me cueillir en haut du long escalier de bois et me descendit dans ses bras.

— Tu as vu comment ça s'est passé? me demanda-t-il calmement.

— Non, répondis-je laconiquement entre deux ravalements de larmes.

Il me fit ensuite entrer chez lui.

— Ce n'est pas un spectacle pour un enfant, me murmura-t-il avec tendresse.

Selon les premières constatations de l'agent Hurtubise arrivé sur les lieux, madame Bilodeau était tombée en faisant un faux pas sur la deuxième marche du haut de l'escalier qui était, selon ses dires, dans un état lamentable.

— Ce genre d'accident se produit souvent quand on néglige l'entretien de sa maison, rajouta le vieux policier à l'endroit du pauvre monsieur Leblanc qui, malgré son flegme, devait être dépassé par les événements.

Après que les ambulanciers eurent emporté le corps de la veuve Bilodeau recouvert d'une couverture blanche, l'agent Hurtubise rajouta que c'était très dommage, ce genre d'accident.

Mais, était-ce un accident, cette chute? La veuve Bilodeau était-elle réellement tombée toute seule, ou bien ne l'avais-je pas un peu aidée à descendre le long escalier de bois? Oh, un tout petit peu! Un rien du tout. Un frôlement en passant, un léger effleurement du bout des doigts. Un goût subit de toucher à la robe de chambre vert pomme échancrée qui paraissait si douce. Je ne m'en souviens plus avec exactitude. Ça fait tellement longtemps, et j'étais si jeune...

Quelques jours plus tard, le bon monsieur Leblanc fit démolir l'escalier fatidique. Des menuisiers sont venus en construire un autre, plus solide, plus massif encore... et qui ne craque pas la nuit.

Depuis ce temps, maman ne pleure plus; papa est plus souvent à la maison. Nous formons, je crois bien, une famille heureuse. Mais papa, quelquefois, me jette à la dérobée de drôles de regards...

Tout cela est arrivé le 3 mai 1952. Je me souviens très bien de cette date car c'était la veille de mon anniversaire et j'avais hâte de déballer mes cadeaux.

DANGER : MEURTRIER A QUATRE ANS!

Chantale Thiboutot

Je m'appelle Kévin. J'habite sur la rue Pépin, avec ma mère, mon père et mon petit frère.

Aujourd'hui, je suis en deuil. Oui, il y a quelques jours, mon meilleur ami d'un instant est parti pour l'au-delà. Je me sens un peu coupable parce que c'était, en quelque sorte, de ma faute. Voilà, tout a commencé, samedi matin. Le ciel était bleu et le soleil brillait. C'est alors que j'eus une de mes fameuses idées!

— Maman, est-ce que je peux aller jouer au parc? demandai-je timidement.

— Ouuui, mais sois prudent en traversant la rue, répondit-elle avec un peu d'hésitation car ma mère a toujours été craintive. Et je me faisais presque toujours dire non quand il s'agissait de sortir de la cour.

Heureux de cette permission spéciale, j'enfilai rapidement mes chaussures et ma casquette.

— Kévin! N'oublie pas, recommanda maman, n'oublie surtout pas : regarde des deux côtés de la rue avant de la traverser...

— Oui, maman, ne t'inquiète pas.

Eh hop! J'étais déjà parti. Je me rendis jusqu'au coin de la rue en sautillant et en chantonnant de gaieté. Puis, j'arrêtai d'un seul coup en imitant le bruit des freins d'une auto. C'était là, oui, juste là que je devais traverser la rue pour me rendre au parc. (Je n'ai jamais avoué à ma mère que, pour moi, c'était tout un exploit de traverser seul cette fameuse rue pleine de crevasses et de petits tas de gravier où les véhicules s'engagaient en trombe avec l'espérance secrète que la vitesse était le seul moyen de ne pas trop se faire abîmer.

Je regardai comme il faut pour voir si rien ne venait. Le chemin était libre. D'un bel élan, j'atterris sur le bord de la rue en périphérie du parc. Je jetai un coup d'oeil à droite et à gauche juste le temps d'être éclaboussé par un camion qui venait de passer dans une flaque d'eau. Je criai au chauffeur une méchanceté. Je tournai la tête vers le parc. C'est alors que je le vis sur le sol. Un lombric! Oui, un vulgaire ver de terre qui était sorti du sol à cause probablement de l'eau qui avait giclé la bordure de pelouse, entre le trottoir et le commencement du parc. Il se tortillait tant bien que mal pour retrouver un endroit sec. Peut-être qu'au fond, les lombrics sont comme le capitaine Haddock, ils n'aiment pas l'eau!

D'un geste rapide mais délicat, je le pris dans ma main et j'entrai dans le parc avec mon nouveau copain avec qui j'espérais bien m'amuser. Une bouffée de contentement m'envahit lorsque j'aperçus devant moi les balançoires, la « tourniquette », « l'araignée », la glissoire et tous ces jeux qui m'attendaient. Quel sentiment de liberté!

Mon copain lombric était tout sali par son aventure périlleuse et je me dis qu'il avait besoin d'un bon bain.

Je l'étendis confortablement dans la paume de ma main et je la descendis doucement dans une petite flaque d'eau claire près d'une balançoire. Il fut prit de panique. J'en profitai pour le baptiser (comme l'avait fait monsieur le curé pour mon nouveau petit frère, il y avait tout juste une semaine). J'énonçai d'une voix grave :

— A partir d'aujourd'hui, tu te nommeras Manuel, comme mon petit frère.

Puis, je le sortis de l'eau et pour le sécher comme il faut, je l'enroulais dans mon chandail pour lui éviter d'avoir froid, en ajoutant :

— Bon, c'est fini, ne t'inquiète pas, Manuel.

Ensuite, je courus vers la « glissade ». Je me dépêchai de monter dans l'échelle pour atteindre le sommet. J'installai Manuel sur le haut de la pente puis j'attendis... Voyant qu'il ne se décidait pas à glisser tout seul, je le mis sur mes genoux et je je me laissai aller. Grisé par la glissade, je restai étendu au bas quelques intants et j'aperçus Benoît, Catherine et Oliver qui se dirigeaient vers moi en courant. Catherine (pour qui j'éprouvais un sentiment certain) me cria avec enthousiasme :

— Kévin! Kévin! Viens, on va jouer avec nous!

Benoît et Olivier s'exclamèrent aussitôt :

— Viens, Kévin, viens, on va jouer à la cache-cache là-bas!

Excité par le plaisir que me procuraient mes copains, j'installai Manuel dans mon chandail et je me dépêchai pour aller les rejoindre.

Évidemment, c'était moi qui devait compter le premier. (Ne sachant pas compter plus haut que dix, Olivier m'expliqua que je devais recommencer trois fois.) Finalement, ce fut à moi qu'on donna la tâche de les trouver. Je me déplaçais lentement, en essayant de voir quelqu'un ou quelque chose bouger quelque part. Et tout à coup, j'aperçus, là, derrière la poubelle, près du banc, le rebord d'une manche qui dépassait. C'était Benoît, j'en étais sûr, c'était bien lui. Je pris une grande respiration et je criai de toutes mes forces :

— Benoît, t'es derrière la poubelle, la poubelle pas belle! Je te vois!

C'est en le voyant sortir de sa cachette que je compris que mon cher copain Benoît n'acceptait pas d'être perdant à ce jeu! Il me cria, furieux :

— T'as triché, Kévin! Tu m'avais vu me cacher!

— Non, tu es un menteur, Benoît, je n'ai pas triché!

C'est alors que Benoît qui était âgé de quelques mois de plus que moi, se dirigea vers moi à pleine course. J'ai eu peur et il me poussa d'un coup sec et, en me heurtant de plein fouet, me fit tomber sur le sol. J'étais là, couché par terre, et je pleurais toutes les larmes de mon corps. Benoît, un peu honteux de son geste, repartit rapidement chez lui. Catherine se dépêcha de venir me rejoindre pour m'aider à me relever. Lorsque j'eus terminé d'essuyer mes larmes, Catherine m'aida à enlever la terre et les brindilles accrochées à mes vêtements. Découragée, elle me dit :

— Kévin, je pense que ta maman va être fâchée...

— Pourquoi? demandai-je, tout étonné.

— Parce qu'il y a une tache qui ne veux pas partir sur ton chandail.

J'essayai de faire disparaître la fameuse tache pour éviter de me faire disputer par ma maman. Pour ce faire, j'entrepris d'enlever mon chandail. Je n'avais même pas terminé de le retirer que Catherine se mit à hurler. Sans rien dire, j'examinai soigneusement mon vêtement. C'est alors... que je vis, là, immobile, étendu dans cette tache : c'était bel et bien lui, je le reconnu, tout en brun rougeâtre, hélas, trois fois hélas, c'était Manuel, mon lombric que je venais d'assassiner.

Même adulte, ce souvenir m'obsède encore...

TABLE DES MATIERES

Ce livre, le seizième ouvrage
des éditions **D'ici et d'ailleurs**
et le premier dans la collection
L'écorce des jours,
a été composé aux ateliers
d'**ASSISTÉCRITURE**
du Cap-de-la-Madeleine
pour le compte de l'éditeur.

Vous avez aimé ce livre;
choisissez-en un autre dans la liste suivante :

* Monsieur Jardin - Louis Brien
* Pourquoi? - Sylvain Bureau
* Au fil des jours - Claire Dessailly
* Journal mélancolique - Fanchou
* Contes du pays de l'orignal - Jean Ferguson
* Histoire raisonnée des besoins naturels - Jean Ferguson
* La vie de Cindy et de François - Karine Filiatrault
* Journal des météores - Raymond Godard
* Amour et liberté : chemin de lumière - Jacques Grignon
* Quatorzième, le magnifique - Annette LaCasse-Gauthier
* Une femme singulière - Cécile Hélie Hamel
* Les rêves de chez-nous - Jocelyne Perreault-Hubert
* Les silences d'Amélie - Lucille Perreault
* D'une farce à l'autre - Alice Michaud-Latrémouille
* Mon enfant dans la nuit - Précille Racicot
* Nouvelles du Nord - Regroupement des écrivains de l'Abitibi-témiscamingue

Éditions
D'ici et d'ailleurs
Case postale 314
Val-d'Or (Québec)
J9P 4P4

Achevé d'imprimer
en juillet 1990 sur les presses
des Ateliers Graphiques Marc Veilleux Inc.
Cap-Saint-Ignace, Qué.